境界の彼方

2

Nagomu Torii
鳥居　なごむ
Illustration / 鴨居　知世

ウヒョー

「おい、しっかりしろ」
「ギャース!」

「秋人お兄ちゃん♡」
「秋人お兄ちゃん!」

「アッキー、ハムエッグトースト
とサラダに珈琲で構わないか？」

境界の彼方

2

Nagomu Torii
鳥居　なごむ
Illustration / 鴨居　知世

序章

とある少女の話をしよう。

峰岸舞耶《みねぎしまいや》は異界士として将来を嘱望《しょくぼう》されるような人材ではなかった。それどころか生来《せいらい》の引っ込み思案な性格が災いして不良の標的にされることも多かったらしい。具体的な内容は語ることさえ躊躇《ためら》われる酷いものだが、言葉にしなければ決して伝わらないこともある。だからこそ僕は敢《あ》えて誰もが耳を塞《ふさ》ぎたくなるような事件を告白することにした。

当時まだ中学二年生だった峰岸舞耶は同級生の女子三人から深刻な苛《いじ》めを受けていた。小学生の頃に遭うような上履きを隠されたり貸した物を返してもらえないというものではなく、もっと陰湿で肉体的にも精神的にも参らせてしまうような底を知らない悪意である。

その日、少女は要求された金銭を用意して来なかったという理由で三人から暴行を受けていた。何度も「やめて」と訴える少女の声を無視して、三人は薄ら笑いを浮かべながら髪を引っ張り連れ回す。そのうち一人の女子生徒が「金がないなら作れよ」というような言葉を繰り出した。ほかの二人からは「お前みたいな冴《さ》えない面でも処女なら喜んで金出すおっさんいるだろ」と嘲笑の声が上がる。

このときのことをあまり多く語りたがらなかったが、おそらく男へ声をかけさせられたりもしたのだろう。深慮するまでもなく峰岸舞耶の精神状態は限界だったに違いない。もし出会う時期が少しでも異なっていれば、この組み合わせもあるいは成立しなかったことだろう。

　大きな公園の中にある公衆便所へ一人の来訪者が現れた。高級そうな黒背広に身を包んだ男は暴行を加えている少女たちを一瞥《いちべつ》していく。視界に映る光景を仲良し四人組が遊んでいるように見える人物は存在しないだろう。

「なに見てんだよ？」

　睨《にら》みを利かす女子生徒を横目に男は懐から黒い拳銃を取り出すと手早く遊底《ゆうてい》を引いて初弾を薬室《やくしつ》へ送り込む。それを峰岸舞耶へ放りながら「知らない世界を見たいなら決断しろ」と宣告した。予期しない展開に三人の女子生徒は間抜けな表情を浮かべる。数瞬の間を置いて事態はより加速的に進行していく。

「寄越せよ」

　意味がわからず目を白黒させる峰岸舞耶に一人の女子生徒が平手打ちを放つ。おそらく模造拳銃と判断して警戒する意識さえなかったのだろう。しかし次の瞬間、少女の手にした漆黒の拳銃が火を噴いた。すぐさま遊底が反動で後退し、空薬莢《からやっきょう》を排出して撃鉄《げきてつ》を起こす。額を打ち抜かれた女子生徒は悲鳴を上げることもないまま地面へ崩れ落ちていく。まるで映画の一場面を切り抜いたように世界は静寂に包まれた。

　地面に倒れ込んだ女子生徒は額から流れる鮮血で周囲を朱に染めていく。ほかの二人が恐怖に顔を引き攣《つ》らせて叫ぶより先に峰岸舞耶は引き金を絞っていた。高性能消音器が発砲時に生じる甲高い破裂音を軽減して射撃の事実を隠蔽《いんぺい》する。一人は胸に着弾して仰向けのまま地面へ倒れ込む。もう一人は逃げる背中を撃たれて舞うように地面へ転がった。

「まだ生きている」

促された少女は身体を痙攣《けいれん》させている女子生徒の後頭部へ再び発砲した。排出された空薬莢が地面に落下して狂想曲の最終章を奏でる。黒背広姿の男は峰岸舞耶の傍らに並び立ちながら問いかけた。その声は慈愛に満ちていて、少女の暗澹《あんたん》たる闇を払い除けていく。だからこそ峰岸舞耶は男の正体を確めることもしなかったのだろう。

「名前は？」

「舞耶。峰岸舞耶」

「いい名前だ」

黒背広姿の男は少女に拳銃を預けたまま歩き始める。

「待ってください」

峰岸舞耶がその背中を追いかけたのは、あるいは必然だったのかもしれない。なぜならこの話を聞いたとき——僕は胸の奥底から這い上がってくるなんとも表現し難い感情に苛《さいな》まれたからだ。もし栗山さんに救いの手を差し伸べたのが心優しい真城優斗《ましろゆうと》ではなく、この事件を引き起こしたような奴だったらどうなっていただろう？　心の拠り所ではなく武力による救済を提示されていたら、その手を振り払い孤独を選択することができただろうか？

いや、そもそも栗山さんに置き換える必要なんてないのかもしれない。僕自身にも言えることだからだ。最初に手を差し伸べてくれたのが美月《みつき》や博臣《ひろおみ》ではなかったら、例えば境界の向こう側に位置する妖夢だったとして、僕は安息と居場所を与えてくれるその手を果たして拒めただろうか？

わからない。

だから僕は峰岸舞耶を糾弾できなかった。もちろん許されるべき行為ではないし、そのことについては充分理解している。ただどうしても僕は少女を断罪することができなかったのだ。その理由を他者へ責任転嫁するつもりはないが、僕や栗山未来《くりやまみらい》にとって、峰岸舞耶は放っておけない境遇だったのだろう。他人事では決して済まされない——いや、本当はただ理解者がいることを示したかっただけなのかもしれない。

今回の事件に関しては、あの日から遡《さかのぼ》るべきだろう。

文芸部の活動誌「芝姫《しばひめ》」の刊行に追われながらも平穏な日常を過ごしていたあの日、僕と博臣は風邪気味の美月に代わり都市部まで出かけることになった。そこで僕たちは異界士に追われる白銀髪の少女と出会う。峰岸舞耶の異能力は本来脅威になるような代物ではなかった。しかし類い稀《まれ》な努力と銃器との組み合わせが最強に最悪で最凶の結果をもたらしたのである。

これから話す哀しき少女の物語をどうか最後まで聞いてほしい。

第一章

「おそらく流行に任せて書いたんだろうけどさ。この主人公が誰彼構わず助けようとする設定なんとかならないのか？　これって結局のところ美少女なら誰でもいいってことだろ？　ちゃんとした理由があってこそ盛り上がりやカタルシスを得られると思うんだけどね」

僕は愚痴を零しながら原稿を長机の上に放り投げた。黄金週間を明けてから一週経過した五月中旬、本日を乗り切れば週末という金曜の放課後である。文芸部は相変わらず活動誌である「芝姫」記念号の刊行に時間を追われていた。

「可愛いは正義だから仕方ないでしょう？」

「いや、もちろん困っている美少女を助けたいという心理はわかるんだよ。ただその行為になんらかの理由がないと変じゃないか？」

「男子なんて可愛いという理由だけで女子を助けるものじゃないの？　それをきっかけにあんなことやこんなことに発展すれば『デュフフフフ』とか『ブヒヒヒヒ』なんて想像を膨らませながら救おうとするんじゃないかしら？」

女子の口から「デュフフフフ」とか初めて聞いたわけだが、これに突っ込むと進行が大幅に遅れるので我慢しておく。というか女の子を助ける理由が露骨過ぎるだろうが！

「確かにそういう下心があることも否定はしないけどさ。そういうのじゃなくて根本的な動機付けは必要だと思うんだよ。劇的ではなくても誰もが共感できるような理由がさ」

「例えば眼鏡が似合うとか？」

黒髪の少女は呆れた様子で具体的な例を挙げてくる。ぐうの音も出ない僕は反論を諦めて次の原稿へ取りかかることにした。そもそも究極的に突き詰めれば男子なんて理由もなく女子を助けてしまうのかもしれない。思春期なんて髪が綺麗とか眼鏡が似合うとか胸が大きいとか太股に挟まれたいとか本当に些細なことで心を動かされてしまうものだ。

「アッキー、これなんてどうだ」

珍しく選考に勤《いそ》しんでいた美貌《びぼう》の上級生が読み終えたらしい紙の束を手渡してくる。それを受け取りながら僕はもう何度目かもわからない常套句を口にしていた。

「題名と粗筋を聞かせてもらっていいか？」

「俺の妹は空気を読めない」

「主人公お前じゃねえか！」

粗筋を聞く前に突っ込んでしまう僕がいた。ちなみに黒髪の二人は大地主――名瀬《なせ》の姓を持つ本物の兄妹である。兄である博臣《ひろおみ》の描写は美貌の一語でも充分だが、妹の美月《みつき》については少しばかり説明しておこう。まず特筆すべきは名家育ちらしい気品が常日頃から溢れ出ていることだ。陶器のように滑らかな白肌。くりくりと大きな瞳に、ぷっくりとした桃色の唇。天使の輪を浮かび上がらせた艶やかな黒髪を腰の辺りまで伸ばしている。

要約すると妹でありながらお姉さん的な魅力を持つ美少女だった。

「いやいや美月は空気が読めないわけじゃないだろ？　読んだ上で敢えて最悪の選択しているだけさ」

「より最低だ！」

というか悪意の権化じゃねえか！　さらりと切り返してる場合じゃないだろ！

「ちなみにアッキーへ渡した物語に出てくる妹は本当に空気が読めない。本人は兄と恋人が上手くいくよう真剣に応援しているんだが、善意で行われた結果がすべて最悪の方向に転がるんだよ」

「ふーん、ラブコメか？」

「いや、感動的な青春物語だった」

「そうなのか？」

訝《いぶか》しがる僕に美貌の上級生は説明を付け加える。

「妹は事故で三年前に亡くなっているんだよ。その事実が判明する後半から頁を捲《めく》る手が止まらなくなるぜ。しかも唐突に『実は幽霊でした』みたいな流れじゃなくて、きちんと伏線が散りばめられているから驚きも映《は》える。しかも視点人物である兄の語り口調が一人称の利点を最大限に引き出しているのも点数高いんだよ」

「確かに切ない系の物語として期待できそうだな」

単純に妹が登場するだけで絶賛している可能性も否定できないが、博臣がここまで積極的に推してくるのも珍しいので読むとしよう。ふと栗山さんを見やると真剣な面持ちで原稿と向かい合っていた。ひょっとすると物語が佳境に差しかかっているところかもしれないので、ついつい眼鏡の似合う後輩女子に喋りかけたくなる衝動をなんとか抑える。活動誌「芝姫《しばひめ》」の記念号を刊行するまでは、無駄話を極力減らして頑張るしかないのだった。

どれくらい経ったのだろう。部長の美月が大きく息を吐いてから提案してくる。

「秋人《あきひと》、急で悪いのだけど甘い物と飲み物を購入してきてくれないかしら？　糖分補給も兼ねて少し休憩しましょう。根《こん》を詰め過ぎて能率が低下したら本末転倒もいいところだわ」

「ほかに二人も平部員がいる状況で副部長の僕が小間使いにされるのはおかしくないか？」

「悔しかったら早く部長になりなさい。副部長の分際で部長の決定に口出しするなんて十年早いわ。とはいえ十年後にまだ高校を卒業していない可能性がある秋人なら、いつの日か部長として部員に偉そうに命令するときが来るかもしれないわね」

「いくら僕でもそこまでは留年しない！　というか二十代後半で現役高校生に偉そうな奴とか目も当てられないだろうが！」

「でも秋人は普通の人が嫌がることを率先《そっせん》してやる節があるじゃない？」

「ねえよ！」

「あらそう。てっきり焼却炉への廃材運びや掃除当番を代わってあげたり、花壇への水撒きや飼育している動物の世話、委員会の資料作成とか面倒なことを引き受けていると勘違いしていたわ。秋人を不当に高く評価してしまってごめんなさい」

そこで謝るなよ。

「いや、あの、その……人の嫌がることってそういう意味の？」

「当たり前じゃない？　ほかにどういう意味があるのよ」

「例えば平部員がいる前で副部長を小間使いにするとか？」

「あの……私が買い出しに行きましょうか？」

これまで無言で選考に取り組んでいた栗山《くりやま》さんが申し訳なさそうに提案してくれる。美月が完全な悪意から僕に命令していないとわかっていても、不遜《ふそん》な態度と辛辣《しんらつ》な口調を目《ま》の当たりにすると不安になっても仕方ない。

「栗山さん、その必要はないわ。これでも私は秋人の甘い物と飲み物を選ぶ才能を信頼してるのよ。きっと糖分補給にぴったりの商品を選んできてくれるわ」

「まったく褒《ほ》められてる気がしない」

「そんな些細《ささい》なことはどうでもいいからさっさと買い出しに向かいなさい。それと領収証はきちんともらっておくのよ。最近は部費の使途《しと》を証明しないと予算が削られるのよね」

「はいはい、わかった。息抜きにもなるし出かけてくるよ」

　僕は手にした原稿を再び机の上に置いて立ち上がる。部室を出て廊下を移動しながら気軽な思考を巡らせた。おそらくミステリーなんかだと僕が戻らなくて物語が発展するんだろうなとか、博臣のおすすめが記念号に使えそうなら枠を一つ消化できて助かるんだよなとか、本当に取り留めもないようなことを考えていると背後から少女の声が届く。

「先輩、待ってください」

「栗山さん？　部室に残らなくて大丈夫なのか？」

「ちゃんと断りを入れてきました」

「ふむ。それじゃあ一緒に行こうか？」

　他愛ない世間話を交わしていると学校から徒歩三分のコンビニへ到着していた。

　学生や営業の途中らしき勤め人が数名いるだけで店内は比較的空《す》いていた。僕は菓子類のコーナーで糖分補給に役立ちそうな商品を物色する。ふと手を伸ばした先に世の中を騒がせている「きのこ」と「たけのこ」があった。この二つを巡り多くの美食家たちが「どちらが美味《うま》いか？」という論争を繰り広げているのである。

　僕は文芸部の面々を想像しながら「きのこ」を選択した。本来なら「クッキー」と「ビスケット」という判断基準を有効利用すべきなのだが、部室に残してきた上級生の顔を思い浮かべると「きのこ」以外の選択はありえなかった。

「あれ？」

いつの間にか傍にいた栗山さんの姿が消えている。もちろん神隠しというわけではなく、店内を眺めると簡単に見つかった。広げた紙を確認しながら文房具やA4サイズの封筒、ほかにも細々《こまごま》した日用品を籠《かご》に詰め込んでいる。どうやら美月から買い出しの追加を頼まれているらしい。僕は後輩女子へ近寄ると手伝いを申し出ながら紙を引き抜く。

「こっちの買い出しはもう終わったからさ。僕も追加の分を手伝うよ」

「あ、いや、先輩、駄目です！　これは私が美月先輩に頼まれたものですから！」

「どうせ文芸部の備品だろ？　手分けしたほうが時間短縮になるしさ」

必死に取られた紙を取り返そうとする栗山さんの姿が可愛くて、ついつい手の届かない位置まで掲げてしまう意地悪な僕がいた。小柄な少女は僕に寄り添いながら精一杯背伸びをしてくる。それでも届かないと判断した眼鏡の似合う後輩女子は、ぴょんぴょんと飛び跳ねて紙の奪還に全力を尽くしていた。

「不愉快です。返してください！」

「これは僕が調達するから心配しなくていいよ。それよりまだ頼まれ物が残ってるんだろ？」

僕が引き抜いたのは栗山さんの持つ紙の一部でしかない。だからこそ手分けして片付けようと提案したのである。しかし僕は美月の直筆で書かれた商品名を読んで目を丸くした。いや、もっと適切な言葉を用いるなら目の前が暗転して世界が凍結したと表現すべきだろう。

「だから言ったじゃないですか！」

栗山さんは僕から紙を奪い取ると頬を赤らめる。そこには「女の子の日」に必要な商品名が記入されていたのだった。シャア専用くらいしか知らない男子高校生にとって、昼用とか夜用なんて表記は生々し過ぎて笑えない。

「あの、先輩」

「なんだよ？」

非は僕自身にあるとわかっているのに、ついぶっきら棒な返事をしてしまう。

「えっと『二枚目の内容は嘘だから購入する必要はないわ』と書かれています」

「僕の行動が完全に読まれている！」

ぱらぱらと三枚目を確認した後輩女子に僕は激しく突っ込んでいた。しかし栗山さんは美月の寄越したメモ書きを律儀に読み上げる。部長の命《めい》に忠実なのは素晴らしいことだが、もう少しだけ副部長のことも構ってほしい。

「美味《おい》しいクリームパンを希望らしいです。なにか先輩のおすすめってありますか？」

「ふむ。クリームパンね」

菓子パンの棚に移動した僕は商品を物色しながら雑学で時間を持たせる。

「どういう経緯でクリームパンと呼ばれるようになったのか知らないんだけどさ、そもそもクリームパンの中身ってクリームじゃなくてカスタードなんだよな。カスタードパンという名称だとなにか不都合でもあったのかな？」

「そうなんですか？」

「意外に知られていないけど本当だよ」

瞳を瞬かせていた小柄な少女は再び美月のメモ書きへ視線を戻す。記入されている文字を咀《そ》嚼《しゃく》するように読み込むとおずおずと僕の方へ差し出してきた。そこには「秋人がクリームパンについての蘊蓄《うんちく》を語り出したら無視して頂戴《ちょうだい》」と書かれている。

「あいつもう完全に予言者じゃないか！」

「あの……先に全部確認しておきますか？」

「いや、それは遠慮しておくよ。なんか負けを認めたみたいで虚《むな》しくなるからさ」

そんなわけで追加の商品も買い揃えてレジへ向かう。その途中で栗山さんがペットボトルにかけられた食玩に瞳を奪われる。よくあるコンビニ商品を買うとキャラクターグッズが付いてくるというものだが、廃《すた》れることなく今も行われているのだから、おそらく関連する企業それぞれが費用に見合う効果を得ているのだろう。

「知ってるやつなの？」

「はい。迷走戦隊マヨウンジャーという作品のキャラクターグッズですね」

「ふーん。週末の朝とかにやってたりするの？」

「いえ、深夜アニメです」

「特撮じゃねえのかよ！　迷走するにもほどがあるわ！」

「ちなみに今週で八話目なんですが、未だに一回も戦闘の演出がありません」

「戦隊の意味がない！」

突っ込んでおいてなんだが、興味が湧いたのも事実である。奇《き》を衒《てら》うだけで中身は滅茶苦茶だと困るが、意外性に内容が伴うと盛り上がるんだよな。

「しかし戦闘がないってことは悪者が出て来ないのか？」

「いえ、悪者は毎回出て来ます。ただレッドが熱血漢で悪事を発見すると懐から携帯を取り出して警察に通報しちゃうんですよ」

「うーん……一市民としては最高だけど正義の味方的にはどうなんだろうな」

「でもレッドの『俺には警察へ通報する義務がある』という決め台詞が小中学生の男子を中心に流行っているみたいですよ」

「健全なアニメ番組っぽいな！　迷走戦隊マヨウンジャーッ！」

「ブルーは引き籠もりで家から一歩も出て来ないんですけどね」

「さっさと脱退しろ！」

「なに言ってるんですか先輩！　家から出ないだけでインターネットを通じて大活躍するんですよ！　レッドが逸早《いちはや》く現場に駆け付けられるのもブルーの情報源があってこそなんです！」

「そういう裏方は戦隊を支えてる博士的な奴の役回りじゃないのか？」

「そうなんですか？」

きょとんと後輩女子は首を傾げる。仕方なく僕は戦隊の王道的設定を説明することにした。

「例えば悪の秘密結社と戦うために面子を集めたり基地を提供する役目ってあるだろ？　戦いには直接参加しないけど裏で戦隊を援助している的な立ち位置の奴だよ」

「可愛らしいマスコット的なキャラクターはいますけど、博士的なキャラクターは登場しないかもしれません。全二十四話なので途中から出てくる可能性は否定できませんけどね」

盆栽以外にも興味があるんだなと感心しつつ、僕は飲み物を紅茶にしようと栗山さんに提案する。小柄な少女は嬉しそうな表情を浮かべながら商品を籠へ収めていく。

「ちなみにピンクとイエローがグリーンを巡って三角関係なんです」

「急に健全じゃなくなった！」

突っ込みながら僕は食玩のピンクとイエローを確認する。特撮ではなく深夜アニメのキャラクターということもあって、いわゆる王道的な戦隊ヒーローの格好をしていなかった。各自の色は明確にしているものの、肌の露出は多いし顔も隠していない。女子は魔法少女と呼んだほうがしっくりくる格好だし、男子に至っては何者かもよくわからない仕様だった。

「買い忘れないよね？」

「ちょっと待ってください」

美月のメモ書きを再確認した栗山さんはこくりと首肯する。一人並ぶと空いていたレジが急に混み始めた。僕は傍らで食玩を眺めている少女に疑問符を投げかける。

「それまで誰も並んでなかったのに一人並び始めると釣られるように皆がレジへ向かう現象はなんだろうな。栗山さんもそんな風に感じることない？」

「あれは『導かれし者たち現象』です」

「なんか格好いいな！」

後輩女子の思わぬ切り返しに驚くことしかできなかった。名称の重要さを再認識させられた金曜の放課後である。精算を終えた僕は二袋に分けられた荷物を左右それぞれの手に一袋ずつ持った。

「先輩、ちょっとだけ時間をもらってもいいですか？」

「もちろん。じゃあ先に戻ってるから追いかけてよ」

「わかりました」

トイレの可能性を配慮して僕は内容を聞かずにコンビニを出た。そこで最も出会いたくなかった存在と鉢合わせてしまう。精悍《せいかん》な顔立ちをした男がこちらを見据えてくる。醸《かも》し出す異様な雰囲気と時代にそぐわない浪人のような格好が一目で異界士と認識させた。普段なら「やれやれまた面倒なことになったな」と嘆息《たんそく》して終わりだが、今現在の僕はこれまで異界士に出《で》会《くわ》したときと比べて状況に天と地ほどの差がある。

「まだ陽も落ちていない夕刻から妖夢が徘徊しているとはな」

怪しげな風貌の男は腰に携えた刀へ手を伸ばした。どうやら一年強の平穏な暮らしが僕の本能を鈍らせてしまっていたらしい。名瀬の管轄下とはいえ僕のことを知らない異界士と出会う可能性は大いに残されている。そんな当たり前のことをどうして忘れていたのだろうか？

「逸《はや》るな」

緊迫した空気が漂う中、別所から制止の声がかかる。そちらへ視線を向けると優男《やさおとこ》風の青年が軽く肩をすくめながら微笑む。傍らでは黒を基調とした生地に装飾の施された華美な洋服と人形を連想させる無表情な少女が黒い日傘を差していた。

「妖夢を見過ごせというのか？」

「ここは査問官特権の利かない特殊な地域だからね。もし事を構えるなら名瀬に一報入れなければならない。そんな面倒臭いことはしたくないし、なにより今優先すべきことは別にある」

「その名瀬が妖夢を野放しにしていることが問題であろう？」

「気持ちはわからなくもないが今は控えてくれないか？　それに目の前にいる少年は純然な妖夢とは異なるみたいだからね。余計な行動を起こして檻《おり》の探知に引っかかるような事態は避けたい。今こうして歩いているだけでも不安で仕方がないんだよ」

「俺はあんたの異能力を信頼している。だからあんたも俺の腕を信じろ」

言うが早いか和装の異界士は一瞬で距離を詰めてくると刀を振り抜いた。無防備だった僕の額が綺麗に裂ける。しかし後方へ怯《ひる》んだのが幸いして致命傷には至らなかった。

「むむ？」

まだ完全に凪《なぎ》を抜けていないとはいえ、僕の再生能力は格段に上昇していた。ぱっくりと割れた額は数瞬で元通りになる。刀を霞《かすみ》に構えた異界士は得心《とくしん》したのか薄く微笑む。

「なるほど再生能力を有した妖夢か……ならば間に合わないよう仕留めるのみ」

「君の放つ斬撃は絶対に少年を捉えることができない」

身体を反転させて遠心力が加えられた一閃は、しかし僕を捉えることなく誰も存在しない空を切った。この至近距離で空振りなんて普通は考えられない。それは攻撃を仕掛けた本人が一番理解しているらしく、大きく首を捻《ひね》り後方に控える青年へ鋭い眼光を向けた。

「なぜ俺の邪魔をする？」

「無意味に事を荒立てようとするからだよ」

「妖夢を目の前にして見逃せというのか？」

「急《せ》いては事を仕損じるというだけさ。目先の小物に釣られて大物を逃がしても構わないなら別だけどね」

和装の異界士は精悍な顔を歪ませる。内輪揉《も》めを始めた理由はわからないが、これは僕にとって有利な展開だろう。ゆっくりとしかし迅速に店内へ戻ることを目指す。異界士の栗山さんかなら説明があれば納得してくれるかもしれないし、なにより無差別に事を荒立てるつもりがないのなら、一般人を巻き込むような危なっかしい立ち回りはしないだろう。

「少年、話の途中で逃げることは許されない」

青年に動きを覚《さと》られた僕は店内へ駆け込もうとする。ところが数分前まで機能していたはずの自動ドアが開かない。そこでようやく僕は異様な雰囲気を肌で感じ取った。誰一人としてこの怪しげな三人組に視線を向けようとしない。興味本位の野次馬どころか遠巻きに一瞥する者さえ一人もいないのだ。

「――――」

次の瞬間、刃の切っ先が僕の喉元まで迫る。刀使いの瞳は並々ならぬ憤怒《ふんぬ》を宿していた。

「命拾いしたな。今回だけは見逃してやる」

謎の異界士は刀を鞘《さや》へ戻して歩き始める。その後ろを黒装束の少女が追従していく。

「気を悪くしないでもらえると嬉しいね」

一人残った優男風の青年は柔和な笑みを浮かべる。僕は立ち去る二人の背中を見送りながら安堵《あんど》の息を漏らした。不死身特性が万全ではない今襲われたら、正直なところ逃げ切れる自信は微塵もない。いろいろな意味で僕は生存本能が退化している事実を認めざるを得なかった。

「お待たせしました先輩。あの……どうかしましたか？」

遅れて店内から出てきた栗山さんは呆然と立ち尽くす僕を見て小首を傾げる。

「いや、なんでもない」

「なんでもないということはないだろう？」

横槍を受けて後輩女子は見知らぬ青年と僕を交互に見やる。不穏《ふおん》な空気を読み取ったのか、その表情から無邪気さが消えた。間を置かずに当然の疑問を投げかけてくる。

「知り合いの方ですか？」

「いや、知らない奴だよ。今しがた出会ったばかりだからね」

「そう警戒するな。ただの半妖夢に用はないさ」

急速に場の雰囲気が悪化した。栗山さんの表情も異界士のそれに変化する。

「どうして先輩の……秘密を知っているんですか？」

「なぜ知っているかだって？」

おどけるように優男風の青年は肩をすくめた。

「別に驚くことじゃない。あれだけ手に負えない化物は――」

「黙れ」

無意識に僕は否定の言葉を絞り出していた。得《え》も言われぬ恐怖から身体が小刻みに震える。

「先輩？」

「ああ……僕なら大丈夫だよ」

明らかに様子のおかしい僕を小柄な少女は心配そうに見上げる。機先《きせん》を制された青年は怒りを露にするわけでもなく、こちらを一瞥したあと穏やかな口調で別れを告げた。

「今日はこれで失礼する」

正体不明の青年が足早に立ち去っていく。その背中からは不吉しか感じない。あいつは僕のことを知っている。それもただ知っているだけじゃない。栗山さんは元より美月にさえ話していないことを知っている。身震いの止まらない僕に小柄な少女が改めて問いかけてきた。

「あの……先輩……どうかしたんですか？」

「いや……本当に……なんでもない。それより早く部室へ戻ろう」

「わかりました」

腑《ふ》に落ちない顔をしながらも後輩女子はそれ以上の追及をして来なかった。

文芸部室に戻ると知らない顔があった。いや、正確に表現すれば知らないわけではない。廊下や校内で何度か見かけたことのある同学年の女子生徒だ。髪を留める巨大なリボンが特徴的なこともあって、人間関係に疎《うと》い僕でもはっきりと記憶に残っている。

「実は名瀬先輩にお願いがあるっすよ」

運動部の口にする「ッス」とは明らかに異なる柔らかな口調で、巨大なリボンを頭に乗せた快活な少女は博臣に詰め寄っている。当の本人は後輩女子から声をかけられることに慣れているのか戸惑う様子もない。僕と栗山さんは長机の上に買い物袋を置いて着席する。

「それで頼み事というのは？」

「知り合いに名瀬先輩の写真を撮ってきてあげると宣言してしまったんすよ。だから何枚か写真を撮らせてもらえるとありがたいっす」

「その知り合いというのは美月じゃないんだよな？」

「違うっすけど……んんん？」

質問の意図がよくわからないのか女子生徒は頭の上に疑問符を浮かべた。博臣的には兄の写真がほしいけど直接言えないから知り合いに頼む妹という構図を妄想したのだろう。しかし美月の性格が微塵も考慮されていないのはどういうことだろうか？

「あ、てっきり忘れていたっす！」

なにかを思い出したかのように女子生徒は僕と栗山さんに満面の笑顔を向けてきた。

「あとから来た二人には自己紹介してなかったっすよね。私は篠崎夏菜《しのざきかな》っす。漫画研究部所属だから廊下で顔を合わせたことくらいあるかもしれないっすね」

「僕は神原秋人《かんばらあきひと》」

「私は栗山未来《くりやまみらい》です」

ぺこりと頭を下げる女子生徒に僕と栗山さんはそれぞれ簡潔に自己紹介を済ませた。篠崎夏菜と名乗った少女は再び博臣に向き直る。それからさも見透かしたように口の端を上げてリップサイズの小さな端末を取り出す。それは補助記憶装置と呼ばれる不揮発性の半導体で、テキストから画像や動画まで保存しておくことができる代物だった。

「もちろん見返りなしに写真を撮らせてほしいとは言わないっす。実はこの中に名瀬先輩の喜びそうな妹画像を収めているっすよ。名瀬っちと比べても見劣りしない本物の妹画像っす。嘘だと勘繰《かんぐ》るなら途中まで確認してもらっても構わないっすよ」

心の中で「どんな殺し文句だよ」と突っ込んでおく。

「おいおい……そんな大風呂敷を広げて大丈夫か？」

辟易《へきえき》しながらも美貌の上級生は補助記憶装置を自前のタブレット型端末に差し込んで中身を確認する。異界士なんて名称からして古風な仕事をしているくせに、どうも流行というか新しい文明の利器に強いんだよな。下手をしたら僕が一番機械音痴じゃないかというくらい進んでいる。ほどなくすると博臣は感心したように頬を緩めた。

「これは『兄妹喧嘩のあと仲直りしたいのに素直になれない妹が友だちへ兄の愚痴を零している』ときの顔だな。この画像の女子生徒は優秀な演劇部員かなにかなのか？」

「名瀬先輩、さっき本物の妹しかいないと教えたじゃないっすか！」

「それじゃあ、本当に兄がいるわけだな？」

「もちろんっす。実際に兄のいる普通の女子生徒っすよ。兄の話題を振られたときにこっそり隠し撮りさせてもらったっす。しかし画像を見ただけで状況を言い当ててしまうなんて、名瀬先輩の観察眼には恐れ入るとしか言いようがないっすね」

「なるほど実際に兄のいる妹ね」

ぱらぱらと本を捲るような動作で博臣は画面を切り替えていく。綻《ほころ》んだ表情を見る限り篠崎夏菜の術中に嵌《は》められたとしか思えない。本人が納得しているなら外野が口を挟むべきではないが、実妹が目の前にいる事態をきちんと理解しているのだろうか？

「おお、これなんかいいな。完璧に『妹が普段馬鹿にしている兄を見直した』ときの顔になっている。こういう表情を見ると兄冥利に尽きるってもんだよな」

「名瀬先輩、こっちの画像はどうっすか？」

「ん？　これは兄じゃなくて姉へ向けられた視線だろ？」

「そこまでわかるんすか名瀬先輩！」

「ああ、この劣等感に苛まれた瞳は異性に対するものじゃないからな。兄はよくても姉に甘やかされると子供扱いされたみたいで怒るわけさ。まあ、そういう気難しいところも妹の魅力ではあるんだけどな」

「博臣、今の美月がなにを考えているのかも読めるのか？」

　妹道を語り始めた美貌の上級生が鬱陶《うっとう》し過ぎたので、僕は桃源郷から現実へ引き戻す役目を担うことにした。質問を受けた博臣はゆらりと実妹へ視線を移動させる。

「あれは『ほかの女子ばかり見ちゃ駄目なんだからね』と嫉妬してる顔だな」

「どう考えても『死んだ目で兄を見る妹』だろうが！」

「二人とも私の持ち込んだ画像で喧嘩をしないでほしいっす。どちらの読みが正しいかなんて本人に確める以外ありえないんじゃないっすか？」

　篠崎夏菜に正論で制された僕と博臣は顔を見合わせる。それから二人して美月へ視線を移すと実兄が改めて「どうなんだ？」と疑問符を投げかけた。これまで静観していた黒髪の少女は原稿から顔を上げて小首を傾げる。

「あの、どちら様ですか？」

「記憶から兄を削除した！」

「アッキーは読みが甘いな。あれは怒りの収め方がわからなくて困ってるんだよ」

美貌の上級生は表情を真顔に整えて謝罪した。

「ほかの女子に現《うつつ》を抜かして悪かったな。お兄ちゃんは美月だけのものだぞ」

「どなたか存じませんが私を誰かと勘違いしていませんか？　私の兄は中二病を拗《こじ》らせて先日亡くなりました」

「どんな設定だよ！」

僕は反射的に突っ込んでしまう。しかし傍らの実兄は不敵な笑みを浮かべている。

「アッキー、どうやら俺の妹についてまだまだ無知らしいな」

「いや、無知なのは博臣だ！　ほかの妹はともかく美月については盲目的過ぎて大事な部分が見えてないんだよ！　もっと冷静に目の前で展開している現実を受け止めろ！」

再び言い争いが始まったところで篠崎夏菜が地団駄を踏む。

「秘蔵の画像を見せたのに名瀬先輩は私の頼み事を聞いてくれないんすか！」

「頼み事ってなんだ？」

「酷いっす！　妹さえ拝めたらあとは知らんぷりっすか！」

憤《いきどお》る度に頭の上に乗せた巨大なリボンがぶんぶん揺れて鬱陶しい。しかしここは公正な判断を下しておくべきだろう。

「確かに今回は博臣が悪いな。先に篠崎さんの頼み事を聞いてやれよ」

僕が荒ぶる女子生徒を優先するよう促すと博臣は仕方なさそうに口を開いた。

「とりあえず改めて用件から教えてくれないか？」

「本当に憶えてないんすか？」

「それだけ夏菜ちゃんの用意した妹画像が素晴らしかったということさ」

意識的にそうしているのか判然としないが、こいつ、初対面の女子でも平気で下の名前で呼ぶんだよな。しかもそれを嫌がる女子はいないし、正直なところ、腹立たしいを通り越して羨ましい。僕なんて未だに栗山さんとの距離感で悩んでいるのにさ。

「先日、格好いい先輩がいるという話題が仲間内で挙がったんすよ。どうもその格好いい先輩像を分析すると名瀬先輩に酷似していたので、ついつい浅はかな私は『写真を撮ってきてあげる』と豪語してしまったんすよね。そんなわけで女子が喜びそうな写真を何枚か撮らせてもらってもいいっすか？」

「これ以上美月の機嫌を損ねたくないんだよな」

「名瀬先輩は妹画像集の残りを閲覧したくないっすか？」

「妹を不機嫌にさせてまで見たいとは思わないよ」

「うぐ……そう言われると返す言葉もないっすね。どうやら校庭を四つん這いで五周するという、約束を違《たが》えたときの罰を果たすしかなさそうっす」

「厳罰過ぎだ！　というかそんな理不尽な要求をしてくる連中との付き合いなんて今すぐやめてしまえ！　文芸部は弱い立場の奴を全力で応援しているからな！」

「神原っち、気持ちは嬉しいっすけど言い出したのは私なんすよ」

「どんだけ己に厳しいんだよ！　もっと適当に引き受ければいいだろ！」

「いや、むしろ四つん這いで校庭を歩かされたいっす！」

「とんだ変態じゃねえか！」

悪魔のような連中から僕が守ろうとした女子生徒は、頭に乗せた巨大なリボンはともかく、爽やかな風貌と涼しい声を持つ特上の変態でした。

「まったく……危うく眼鏡を差し伸べるところだったよ」

「んんん？　神原っちは眼鏡をかけた子が好きなんすか？」

「好きとか嫌いで片付けられる問題じゃないさ。世の女性を大別すると二種類あって、眼鏡をかけているかいないかなんだよ」

「妹で例えるなら血が繋がっているかいないかみたいなものだな」

腕を組んだ美貌の上級生は真剣な眼差しを向けてくる。僕は鷹揚《おうよう》に首肯《しゅこう》しながら篠崎夏菜の反応を待つ。もしここで露骨な嫌悪感を示されたらどうしようもないが、普通に接してくれたら博臣の写真入手に協力しても構わない。　そんな心の声を知ってか知らずか巨大なリボンが特徴的な女子生徒は感想を述べた。

「お洒落でかけることならたまにあるんすよね」

「ほ……本当なのか？」

「嘘吐《つ》いても仕方ないっすよ。　ただ常備しているわけじゃないっすけどね」

「うーん……どうも視力矯正以外の用途が普及されていないんだよな」

　僕は鞄から眼鏡を取り出しながら解説する。

「例えばＰＣモニターを一回も見ない日なんてないだろ？　この眼鏡は視力矯正じゃなく保護を目的として設計されているんだ。　ちなみにこれはＰＣモニターから発生するブルーライトと呼ばれる青色成分の多い光を約五十五パーセントカットする機能を持っている。　可視光線の中でも波長の短いブルーライトは角膜や水晶体でも吸収されず網膜まで到達するからね。　長時間モニターを眺めていると『目がチカチカする』みたいな現象が起こるだろ？　あれなんかをこの眼鏡をかけることで軽減できるんだよ。　付属の保水装置を用いればドライアイ対策にもなるし、花粉対策用に加工された眼鏡だってあるんだぞ。　そもそも鼻と口を守るマスクは認知されているのに、瞳を守る眼鏡が放置されていることがおかしいんだよな」

「おおーっ！　なんかその眼鏡格好いいっすね！」

　篠崎夏菜は瞳を輝かせながら眼鏡を見つめてくる。　口汚い罵倒《ばとう》を浴びせられることに慣れていた所為《せい》か、目の前にいる女子生徒がまるで天使のように思えた。そんな思考を巡らせた矢先にリボンの似合う少女は軽く瞳を閉じて顔を突き出してくる。

「ちょっとかけてもらってもいいっすか？」

「え？」

まるでキスを強請《ねだ》るような仕種に僕は素っ頓狂な声を上げてしまう。眼鏡をかけてほしいと頼まれたことなんて生まれて初めてだ。しかもそれが似合う可能性の高い女子生徒となれば、大抵の男子は期待と緊張で興奮を隠せないだろう。

「本当に……僕がかけていいのか？」

「もちろんっすよ」

んーっと突き出された顔に僕は眼鏡をかけようとする。しかしここで激しい葛藤が生じてしまう。出会ったばかりの女子生徒に僕なんかが眼鏡をかけてもいいのだろうか？　よく知らない文芸部の四人に眼鏡姿を披露することになるわけで、これから出会う誰かのために残しておかなくても大丈夫なのか？

いや、篠崎夏菜だけでなく僕自身はどうなんだ？

美月や栗山さんの見ている前で特に親しくもない女子生徒に眼鏡をかけられるのか？　眼鏡さえかけられれば誰でもいい奴みたいな印象を与えないか？　しかし眼鏡をかけてほしいと頼んできたのは篠崎夏菜なわけで、いやいやそんな言い訳をしている時点で男らしくないよな。

「なあ美月、さっきからアッキーの様子がおかしくないか？」

「あれは葛藤しているのよ。常人には理解不能な思考回路でね」

「だーっ！　やっぱり僕には無理だ！」

僕は眼鏡をかけたい欲望を抑えて吼《ほ》える。

「衆人環視の中で出会ったばかりの女子に眼鏡をかけたり外したりするなんてできない！　篠崎さんも女の子なんだから、もっと自分自身を大切にするんだ！　男なんて所詮は羊の皮を被《かぶ》った狼なんだから、簡単に眼鏡をかけてほしいとか言わないこと！」

「わ……わかったっすよ」

若干引いている感はあったものの、篠崎夏菜は肯定の意を示してくれた。

「なあ美月、どうしてアッキーは涙ぐんでいるんだ？」

「あれは眼鏡に性的興奮を覚える秋人にしかわからない勝利の涙よ」

ともかく冷静さを取り戻した僕は長机の上に広げた菓子や飲み物を配布していく。人数分しか購入していないわけでもないので、来客である篠崎夏菜にも紅茶を提供しておいた。すると食玩に気付くが早いか頭にリボンを乗せた女子生徒は嬌声を上げる。

「これ迷走戦隊マヨウンジャーじゃないっすか！」

「ん、篠崎さんもその作品知ってるのか？」

「当然っすよ」

「毎週のようにレッドがブルーの家を訪ねる場面があるんすけど、いつも扉を開けてもらえなくて、その扉越しに背中を合わせて会話している二人が超格好いいっす」

「私はイエローの『なんですって？』という口癖が好きだわ。普段は眼鏡の似合う知的美人風だから口癖を発するときのオーバーリアクションが滑稽で面白いのよね」

「社会的に成功しているグリーンやイエローじゃなく、ニートやオタクが活躍する物語と見せかけて、結局のところ勝ち組が重要な役割を果たすんだよな。物語をただの綺麗事にするんじゃなくて、世界の不条理を投影してるのがいいんだよ」

「わわわわ私はレッドの決め台詞が好きです！」

水を得た魚のように迷走戦隊マヨウンジャーの話題で持ち切りになる面々だった。コンビニでちょっと小馬鹿にしていた僕は得も言われぬ衝動に駆られる。

「ちょっと待った！　迷走戦隊マヨウンジャーってそんなに人気あるのか？」

「へえ、コンビニの商品を買うと食玩がもらえるんだな」

食玩に触れながら博臣は種類や期間を調べている。話題の発起人である篠崎さんはともかくとして、普段こういうことに無頓着な美月まで興味津々だった。なんとなく大都会の雑踏でたった一人取り残されたような気分になる。

「ふむ。面白い？」

「とりあえずマヨウンジャーの食玩で盛り上がるのはそれくらいにしてさ。博臣、篠崎さんに写真を撮らせてあげたらどうなんだ？」

「そうだな。事情はともかく写真くらい好きに撮らせてやるさ」

「本当っすか名瀬先輩？」

表情を綻ばせながら篠崎夏菜は高級そうなデジタルカメラを胸元から取り出した。

「早速で悪いんすけど制服を半脱ぎにしてシャツを肌蹴《はだけ》させてほしいっす！」

「前言撤回だ！　今すぐ帰れ！」

「怒った顔も素敵っす！」

部室内にカシャカシャカシャカシャというシャッター音が響き渡る。

「神原っち、名瀬先輩を激写する私の姿を携帯で撮ってほしいっす」

「なんでだよ！」

「美少年の半裸に興奮する私の間抜け面を撮ることで後世の戒めにするんすよ！」

「意味がわかんねえ！」

「いいから早く名瀬先輩を激写する私の姿を写メに収めるっすよ！」

にやにやしながら美貌の上級生を激写する篠崎夏菜。

そしてその隙だらけの少女を撮影しまくる僕だった。

「名瀬先輩、もっと自然に微笑んでほしいっす！」

「…………」

博臣が美月以外に翻弄《ほんろう》されるなんて珍しい光景だった。それからしばらく謎の撮影会を補助させられた僕は、篠崎夏菜退室後、ぐったりと項垂《うなだ》れている美貌の上級生に糖分補給を促しておく。するると選考作業へ戻っていた美月が原稿に視線を落としながら告げる。

「モブキャラも帰ったことだし、そろそろ小休止をしましょう」

「同級生に酷い言い草だな！」

「黙りなさい男子生徒Ａ」

「なんでも斬新にすればいいわけじゃないんだぞ！　僕みたいな眼鏡好きモブキャラがいたら完全に脇役を食っちまうだろうが！」

ここで主役を食うと主張できないところが僕の弱さである。

「いえいえ、それが思いのほか面白いのよ」

「ん？」

僕は差し出された分厚い原稿を受け取る。一枚目に「濡れ鴉《がらす》の館」という殺人事件の起こりそうな題名が記載されていた。黒髪の少女は概要と決定事項を簡潔に説明する。

「内容は外部と連絡の取れなくなった孤島の館で殺人事件が起こるミステリーなのだけど、探偵役が癖のある連中ばかりで真相に迫るどころか寄り道の連続という感じなのよ。いわゆる推理の奥深さより探偵役の言動を楽しむタイプね。ところが三人称で紡がれる物語のところどころに『これ三人称よね？』と首を捻るような描写があって、中盤以降、館に潜んでいた犯人の一人称で語られていたことが判明してからの加速度的な展開が面白かったわ。反対意見がなければ記念号に載せたいのだけど大丈夫かしら？」

「美月がそこまで推すなら反対する理由もないからな。要約すると探偵役による事件の真相究明は偽者で、犯人による孤島からの脱出劇が本物だったんだろ？　主役に祭り上げられていた連中がモブキャラに転落するわけだな」

「ミステリーとしての良し悪しはわからないけど、印象的という意味では受けそうな感じがするのよね。ともあれまずは休憩しましょう。記念号の刊行へ向けて現実的な話も詰めないと駄目だもの」

戦力が増えたとはいえ物理的に考えれば間に合わない。それをどうにかするためには、なんらかの対処が必要となる。僕は見通しの明るくない現状から目を背けることにした。

「とりあえず一般人がいなくなったことだし、さっき異界士に襲われた話をしてもいいか？後々ややこしいことに巻き込まれるのは嫌だからな」

切り出した途端に栗山さんが不安そうな表情を向けてくる。黒髪の少女は兄を一瞥してから質問を繰り出した。

「さっきというのは買い出しのときかしら？」

「それ以外に外出してないだろ？　ちなみに目立つ格好をした三人組の異界士だった。いきなり刀で額を切られたんだけど、一人だけ話のわかる奴がいて助かったよ」

「どうしてそのとき教えてくれなかったんですか！」

可愛らしい顔に似合わない剣幕で後輩女子が叱責《しっせき》してくる。感情を制御できない僕は反射的に強がりを返してしまう。

「栗山さんと合流したときには解決していたからだよ。それに凪の妖力減退効果が薄れているのか、相当な致命傷以外なら大丈夫そうだからね」

「でも……そのあとの様子も変でしたよ？」

「だから本当に心配するようなことじゃないよ。久しく異界士に襲われてなかったから、少し挙動不審な態度になったのかもな」

「本当に大丈夫なんですか？」

「まあね。切られた額も即時再生だったからさ」

「あらそう。ただの眼鏡好き突っ込み要員から不死身の眼鏡好き突っ込み要員に昇格できてよかったわね」

「なんだその悪意しか感じられない表現！」

「ところでアッキー、異界士の話、本当なんだよな？」

神妙な面持ちの博臣から意外な指摘を受ける。

「当たり前だろ。というか僕と異界士の接近を把握していなかったのか？　いつもの頼んでもいない情報収集能力はどこいった？」

「だからこそ聞き返したんだよ。アッキーの言うような連中が自由に動けるほど檻は甘くないからな。それに同行していた未来ちゃんも戦闘を見ていないいんだろ？」

「ちょっと待て！　僕が嘘を吐いてるとでも言いたいのか！」

「秋人、とりあえず落ち着きなさい。これはとても大事なことなの。だから栗山さんも正直に答えて頂戴。名瀬の管轄下で異界士が秋人を襲うところを目撃した？」

促された後輩女子は力無く視線を伏せる。

「あの……その……確かに戦闘は見ていません。私がコンビニを出たときには先輩と二十代後半くらいの男性しかいませんでした」

「ふむ」

重苦しい空気を漂わせながら美貌の上級生は腕を組む。端《はな》から信じていないわけではないらしいが、どうにも半信半疑感を拭い去れていない。これは僕の証言と檻による索敵性能が天秤にかけられているからで、逆説的に考えれば、端から信じてもらえないことに比べれば随分と健闘している。理由はともあれ場を暗くした尻拭いはしておくべきだろう。

「とりあえず報告はしたからな。記憶の片隅くらいには留めておいてくれよ。暗い話題はここまでにして糖分補給でもしようぜ」

言いながら僕は未だ買い物袋に詰め込まれた菓子類を長机の上に広げる。原稿の邪魔になる可能性もあったが、これ以上、酷い状態になることもないだろう。基本的にチョコレート主体の菓子選びだったが、ロリポップやスナック菓子も購入している。僕は自主的に手を出し辛いであろう後輩女子にまず声をかけておく。

「栗山さん、グミチョコ食べる？」

眼鏡の似合う小柄な少女は大きな瞳を瞬かせる。ひょっとすると存在そのものを知らないのかもしれない。僕はグミチョコの箱を軽く掲げて、どういう商品なのか確認してもらう。

「頂きます」

差し出された栗山さんの手にグミチョコを数個振り分ける。しばらくチョコレートでコーティングされた球体を眺めていた少女は、ついにその一つを口の中へ放り込み舌でころころと転がし始めた。この菓子の特徴は中に含まれているグミへ到着してからの独特な食感だろう。

「あ」

小さな嬌声を漏らすと後輩女子は手の中にあるグミチョコを一気に口へ運ぶ。それから空になった右手を僕に向けて素早く差し出してくる。どうやらお気に召したらしい。親鳥の調達してきた餌をただ口を開けて待っている雛みたいな栗山さんは、とても眼鏡が似合っていて、僕にとってグミチョコをあげたくなるような特別な存在だった。

「はいはい」

断る理由もない僕は差し出された手の上にグミチョコを数個転がす。ぴよぴよという擬音が背景に書かれていても違和感がないような、そこにいるだけで心を和ませる小動物みたいな可愛らしさなんだよな。

「俺にもグミチョコをくれないか？　糖分補給というより空腹を充たしたいんだよ」

「栗山さんが向日葵《ひまわり》の種を頬張るハムスター並みにもぐもぐしているから諦めろ」

「ん？」

言葉に釣られて博臣の視線が栗山さんへ移動する。もちろん僕も対面で選考作業中の後輩へ顔を向けた。ひょっとしたら美月も眺めていたかもしれないが、敢えて確認するようなことでもないので放置しておく。

「しかし未来ちゃんの仕種は可愛らしいよな」

「おい、博臣。栗山さんをそういう目で見るのはやめろ」

節操の無い変態に忠告してから僕は後輩女子の格好を再確認した。栗山さんは椅子の上で体育座りをしながら選考中の原稿に目を通している。小柄な体躯を丸めた姿が博臣の琴線に触れたのかもしれない。確かに保護欲を誘うという点では美月と比べられない破壊力がある。

「栗山さんに現《うつつ》を抜かしていると実妹に怒られるぞ？」

「安心しろ。未来ちゃん以上に美月のことは気にかけてるよ」

「それって部活中に女子のことしか考えてないだけだろ？」

「心外だな。周囲の動向に注意を払うなんて異界士の基本だぞ」

「ふーん、じゃあ僕の行動も把握しているのか？」

「この部活中に美月へ十二回（内訳は顔八回と胸四回）視線を送り、未来ちゃんを三十二回（すべての回で眼鏡を含む）一瞥し、それから俺とじっくり三回ほど視線を合わせている」

「お……おう。疑って悪かったな」

僕は改めて名瀬幹部の実力を痛感させられた。どうでもいい僕の情報でさえこれだけ把握しているのだから、美月や栗山さんの動向となれば秒単位で記録されているかもしれない。ここまでくると気持ち悪いを超えて畏敬《いけい》の念を抱いてしまう。

「それでグミチョコ以外にはなにがあるんだよ？」

言われて僕は長机の上に広げた菓子を吟味する。どうしても気になる一品を発掘してしまった僕は、他愛もない感じを装いながら質問を繰り出した。

「博臣って絶対に『きのこ』派だよな」

「お、どうしてわかるんだ？」

「まあ、なんとなくだよ。ともあれ好きならこれでいいよな」

僕は茸《きのこ》型チョコクッキーの封入された箱を上級生の前に置く。髪形から連想したとか言える雰囲気ではなかった。そんなことに益体《やくたい》の無い時間を費やしていると、不意に携帯端末を取り出した栗山さんが驚愕する。おそらく受信した情報を確認しての反応だろう。その表情が徐々に穏やかな微笑みへと変化するのを見て、僕はなんとも言えない複雑な感情に囚われるのだった。

「すいません。急用が出来たので帰宅してもいいですか？」

「もちろん構わないわよ。記念号のために無理強いしているのは私たちなんだもの」

「それでは失礼します」

手早く荷物を整理した後輩女子は早々に部室を去っていく。その後ろ姿を見送っていた美月がふと禁句を口にする。

「どう控え目に見ても『待ち人来たる』という感じだったわよね」

「栗山さんに限って……そんなことあるわけないだろ？」

反論しながらも内心は不安で仕方なかった。異界士としての依頼が飛び込んできた雰囲気ではなかったし、なにより放課後の部活を最優先にしていた少女が、得体の知れない連絡一本で呼び出されたことに驚きを隠せない。

「余計な詮索はすべきじゃないわね。選考作業に戻りましょう」

そんなわけで文芸部の活動は再開された。集中力を欠いた僕が役に立たなかったことは言うまでもないだろう。やがて博臣が迷走戦隊マヨウンジャーの食玩を揃えるべくコンビニへ向かい、部室に残された僕と美月は戸締まりを済ませてから学校を出た。

「一雨降りそうな雲行きね」

「さっさと帰ったほうがいいかもな」

他愛もない会話を交わしていると黒髪の少女はなにかを思い出したかのように手を打つ。

「すっかり忘れていたわ。明日、朝十時に私の家へ来てもらえるかしら？」

「ああ——印刷の手配だっけ？」

普段の「芝姫」は大量にコピーした紙を綴じて作成しているのだが、今回の記念号は業者に頼んで製本してもらうよう顧問から指示されている。どういう大人の事情が絡んだのか知る由もないが、活動誌の体裁《ていさい》がよくなるのだから部員としては大歓迎だった。

「そうなのよ。どうしても都合が悪いなら明後日でも構わないのだけど？」

「明日で大丈夫だよ」

「あらそう。週末に予定がないなんてさすが秋人だわ」

「ほっとけ」

とはいえ本当に週末は時間を持て余しているんだよな。最近は「芝姫」の選考に随分と費やされているが、これが終わったら読書と眼鏡観賞くらいしか予定がない。

「それじゃあ、また明日ね」

別れの挨拶を告げて黒髪の少女は立ち去っていく。このときはまだ翌日の事件を発端に様々な出来事に巻き込まれるなんて想像もしていなかった。


五月十二日、午前十一時。

大都市と観光都市を結ぶという重要な路線にも関わらず、なぜか単線区間が異様に多い七不思議的な路線を利用して、僕と博臣は電車で三十分ほど要する都市部を目指していた。

「アッキー、そんな不機嫌そうな顔をするなよ。美月と出かけたかった気持ちはわかるが、風邪で寝込んでるんだから仕方がないだろ？」

「美月がいなくて不機嫌になっているんじゃない。博臣と二人きりの状況が嫌なんだよ！」

「それについても二人分の署名が必要なんだから諦めろ。俺だって美月の看病をしたい気持ちを押し殺して家を出てきたんだからな。滅多に風邪なんて引かないから未だに冷却シートを額に貼らせてもらったこともない」

「僕はもう博臣がどこへ向かいたいのかわからないよ」

しばらく揺られていると車内の人数も増えて喧騒《けんそう》が生まれていた。内緒話にしては大き過ぎる声が意識しなくとも耳に届いてしまう。その内容は概《おおむ》ね「あのマフラーの人、超格好よくない？」というものであり、言葉の違いこそあれ中身は一緒だった。もし僕がマフラーを巻いていようものなら、おそらく「五月にマフラーとか超ウケるんですけど」になるはずなので、世の中に蔓延《はびこ》る不条理を感じざるを得ない。

都市部に到着した僕と博臣は電車を降りて改札を抜ける。擦れ違う同年代の女子からひそひそと噂する声が漏れ聞こえた。車内でも似たような出来事があったので、どういう言葉が交わされているのか想像に難くない。

「博臣」

「ん？」

「いや、なんでもない」

僕は傍らを歩く美貌の異界士を一瞥して首を左右に振る。地元というアドバンテージがなくても女子に人気があるなんて腹立たしくて口にしたくない。確かに顔立ちは並の俳優では遠く及ばないくらい整っているし、私服姿はファッション誌から抜き出したように完璧だけどさ。

「それで印刷所に伝えることはわかっているのか？」

「ああ、それなら美月がまとめてくれてるんだ」

僕は託されていた封筒を差し出しながら応じる。

「それなら問題なさそうだな」

「美月は信用できても僕は信用できないってことか？」

「そういう意味じゃない。ただ美月の代行でここへ来ている以上、文芸部の部長代理として責務を果たさないといけないからな」

「どんだけ妹絶対主義なんだよ」

「眼鏡絶対主義のアッキーにだけは言われたくない台詞だな」

辟易する僕に博臣は軽く肩をすくめておどけた。それから視線を向けてくる周囲の女子に愛想を振り撒《ま》く。信じ難い光景に僕は思わず表情を歪《ゆが》めてしまう。

「そんな顔をするな。美月の兄として誰に紹介されても恥ずかしくない好感度は大切だろ？

家族という立場に甘えず尊敬される存在でありたいんだよ」

「ふーん」

「おいおい、ちょっとくらいは感動してくれよ。立派な志だろ？」

「志は立派でも動機が不純だからな」

「妹に尊敬されたいと願うことのどこが不純なんだよ？」

「それがわからない時点で終わってる」

くらだらない会話にも退屈を紛らわす効果はあるため、僕は目的地へ到着するまで口を閉じたりしない。沈黙が苦にならない関係が理想という説もあるが、僕は今のところ、馬鹿な話で盛り上がれるくらいが丁度よかった。

特に大きな問題もないまま印刷所の手配を済ませて帰路に着くことになった。杞憂は杞憂で終わるから杞憂なのだろう。駅へ向けて歩いていると博臣が新しい話題を振ってきた。

「アッキー、前方に眼鏡の似合う女子高生がいるぞ」

「気安く眼鏡が似合うなんて口にするな。例えば栗山さんのような存在は百万人に一人いるかいないかなんだぞ。遊牧民みたいに各地を転々としてきた僕が言うんだから間違いない」

上級生の戯言《ざれごと》に僕は苦言を呈しておく。すると博臣が思わぬ反論を返してくる。

「とりあえず確認してから文句を言えよ」

「だから眼鏡さえかけてれば僕が興味を持つだろうみたいな感覚は捨てろよ。そもそも眼鏡の似合う女子高生を僕が千の言葉を用いて絶賛したところで、その一割も汲み取ってもらえないことがわかっているからな。どんなに熱意を込めて話しても眼鏡の有用性を理解してくれる人は極一部しかいない」

「あとで後悔しても知らないからな」

「そこまで言うなら見てやるさ。ぴくりとも琴線《きんせん》に触れなかったら覚悟しとけよ」

視線を向けた先に赤縁眼鏡の似合う小柄な少女を見つけた。百万人に一人いるかどうかもわからない完璧な眼鏡っ娘である。しかしこんな短期間に奇跡的な出会いを二度も体験できるわけもなく、僕の視界に捉えた眼鏡の似合う小柄な少女こそが栗山未来本人だった。

「確認して正解だったろ？」

そんな皮肉めいた言葉さえ気にもならない。なぜなら眼鏡の似合う後輩女子が僕の知らない青年と肩を並べて歩いていたからだ。会話というより一方的に語り尽くしているような印象を受けたが、相槌《あいづち》を打つ青年に時折向けられる笑顔が僕の胸を締め付けていく。

「異界士……関係の……知り合いかな？」

「いや、あれは一般人だな」

なんとか絞り出した疑問符に博臣が即答する。僕は立ち眩《くら》みを起こしたようにその場へ座り込んでしまう。それから情けない声で美貌の異界士に問いかけた。

「僕と話しているときより楽しそうじゃないか？」

「さあな。ただ客観的に判断して楽しそうではある」

「あいつ……一体何者なんだよ」

「本人に直接聞けばいいだろ？」

「そんなことできるわけないだろうが！　もし『彼氏です』なんて笑顔で紹介されたら失禁してしまうからな！　博臣はこの世の終わりみたいな顔をしながら粗相《そそう》する僕を見たいのか！」

これが俗にいう逆切れである。

「俺が悪かったから落ち着いてくれ……道行く人に怪訝《けげん》な顔を向けられてるからさ。それと彼氏説は俺の中じゃ考えられないな。未来ちゃん信じられないくらい一途そうだし、彼氏持ちなら夜遅くまで部活に残らないだろ？」

「ふむ……これは真相を確めるしかないな」

僕は立ち上がり表情を引き締め直した。傍らに立つ博臣が感心したように告げる。

「本人に確認する勇気が生まれたのか？」

「それはない。尾行するんだよ」

「はあ？」

美貌の上級生は素っ頓狂な声を上げる。僕は博臣の腕を引っ張り近くの電柱に身を潜めた。

「栗山さんのことだから『グミチョコをあげよう』みたいな甘い誘惑に乗せられたかもしれないだろ？　僕には眼鏡の似合う女子を守らなければならない義務がある！」

「意味がわからない上に発想がストーカーだな。そもそもアッキーは未来ちゃんをなんだと思ってるんだ？　そこまで古典的な罠に引っかかる奴なんて最近じゃ小学生でもいないぞ」

「知らない連中に『美月さんが攫《さら》われた』と言われて信じた奴に説得されてもな」

「グミチョコと美月を一緒にするなよ」

「問題はそこじゃなくて常套句に騙される奴もいるということだ。もし誰もいない怪しげな場所に連れ込まれて……嫌がる栗山さんの眼鏡を無理矢理……ああもう考えただけで怖ろしくて身体が震える！」

「わざわざ誰もいない怪しげな場所に連れ込んで眼鏡をどうこうしようという奴はアッキー以外に存在しないから安心しろ」

「本当に信じて大丈夫なのか？　ぺろぺろされたりしないか？」

「歪《ゆが》みなく気持ち悪いな」

路傍に放置された犬の糞を見るような蔑《さげす》みの視線を向けられる。

「もっとレトリックな表現をしたくても頭が回らないんだよ！」

「そういう問題じゃないんだが……ともかく混乱していることは伝わった」

「わかってくれればいいんだよ。それじゃあ早速、尾行を開始しよう」

「それは感心しないな」

相変わらず気乗りしない様子の博臣だった。

「博臣は美月が知らない男と一緒にいても気にならないっていうのか？」

「気にはなるが尾行や監視なんて真似はしないさ。実際それをするなら美月とアッキーが二人きりになる機会なんて作らせないだろ？　本当に大切と考えているなら、まず相手の意見を尊重しないとな。過度な干渉は愛情じゃなくて感情の押し売りだろ？」

「…………」

確かにその通りだった。こいつ妹好きという属性に目を瞑《つむ》れば基本的に男前なんだよな。しかしここで納得できるほど僕は大人ではなかった。

「ともあれこのまま見過ごすなんて無理だ。今回だけは僕の好きにさせてくれないか？」

「こそこそ嗅ぎ回ったところで知りたくもない事実が出てくるだけだぞ？」

「そうかもしれないけどさ……どうせ僕は正攻法で確かめることもできない小心者なんだよ」

情けない行為だと自覚しているだけに性質《たち》が悪いんだろうな。しかし僕は身を潜めていた電柱から次の隠れ場所へ移動した。説得を諦めたらしい博臣も呆れた素振りを見せながら追従《ついじゅう》してくる。一人より二人のほうが心強いので正直ありがたい。

「どうしても尾行するつもりなら真剣に取り組んだほうがいいぞ。もし途中で気付かれたりしたら修羅場にしかならない」

「経験者みたいな口振りだな」

「俺にも若気の至りくらいあるさ」

「つい最近ＡＫＢ４８の書類審査に美月の履歴書を提出した奴が遠い過去のように語るなよ」

「あれとこれじゃ話が全然違うだろ？　俺の場合は美月を想う愛から生まれた善行《ぜんこう》だが、今回の尾行はアッキーの嫉妬から生まれた悪行《あくぎょう》だ」

「どっちも愚かという点では共通してるけどな」

ともかく尾行を再開すると栗山さんと見知らぬ青年がお洒落そうなカフェに入店していく。中へ向かおうとする僕を博臣が全力で引き留めた。

「いくら私服とはいえ見慣れた顔が二つ並んでいたら気付かれるぞ？　外から確認するだけにしたほうがいい。というかあの二人、楽しく談笑してないか？　未来ちゃんが饒舌《じょうぜつ》に語る姿なんて部室じゃ見かけないから珍しいな」

「ああもう、今すぐ栗山さんの眼鏡を奪い去りたい！　眼鏡をかけた栗山さんが知らない誰かと話しているところなんて見たくない！」

「どんな切れ方だよ。眼鏡をかけてなかったら知らない奴と話しても構わないのか？」

「駄目に決まってるだろうが！　一体なにを考えてるんだよ！」

「その言葉をそっくりアッキーに返すよ。大きな失敗をする前に冷静さを取り戻せよな」

「そもそも栗山さんも栗山さんなんだよな。あんな眼鏡の『め』の字も知らないような奴に微笑みかけたりしてさ。僕なんて毎日のように『不愉快です』って言われてるんだぞ」

「それはアッキーが不愉快な発言をするからだろ」

「いつも眼鏡が似合うって褒めてるだけだよ！」

「……それが原因じゃないのか？」

僕は呆れる異界士の肩を叩きながら笑うしかない。

「ははは、そんなわけないだろ。眼鏡を褒められて嫌がる女子なんていないさ」

「その発想がすでに常軌《じょうき》を逸《いっ》しているんだよ」

後輩女子を尾行することが一般的かどうかは別として、ここまでの展開はおそらく平凡な日常の一幕に過ぎない。しかし事件はなんの前触れもなく来訪するのだった。

刹那——隣接する建物から爆発音が響いた。粉々に砕かれた硝子《がらす》が地面に落下して甲高い狂想曲を奏でる。数瞬の沈黙を経て周囲は騒然となった。反射的に視線を上へ向けると建物の三階部分が炎上していた。燃え盛る炎の中を一気に駆け抜けたのか、硝子の割れた窓から人影が飛び降りてくる。機動性に優れたタイトな服装の少女は、中空で一回転すると見事着地に成功した。しかしそんな大技よりも白銀色の髪に瞳を奪われてしまう。

「異界士だ」

傍らに立つ博臣が表情を引き締めて一歩前へ踏み込む。おそらく直感的にきな臭いなにかを嗅ぎ取ったのだろう。建物の爆破だけでも大惨事なのに、そこへ異界士が絡むとなれば、ろくでもない未来予想図しか描けない。

「下だ急げ！」

建物の四階部分から顔を出した男が吼える。予想より早く察知されたのか少女は立ち上がりながら舌打ちした。特徴的な白銀色の髪を揺らしながら颯爽《さっそう》と駆け出していく。真横を通り過ぎる際にこちらを一瞥したが、なにかしら行動を起こすようなことはなかった。

間髪入れず建物から人影が飛び出してくる。女性用背広に身を包んだ美女は俊敏な動きで逃亡者を追跡していく。見覚えがある顔というか名瀬に仕える異界士——知的な秘書を連想させる容貌を持つ二ノ宮雫《にのみやしずく》その人だった。

「待ちなさい」

おそらく視界の端に逃亡者を捉えたのだろう。ニノさんは怒声《どせい》を発しながら前方に腕を伸ばして空間を掴もうとする。系統的に名瀬の檻と近い空間を歪ませて物理干渉を引き起こす異能力だ。しかし次の瞬間、背広姿の美女は姿勢を崩して横転する。綺麗な頬に一筋の赤い線が走り、そこから滲み出るように鮮血が流れた。しばらく状況を理解することもできなかったのだが、背後の電柱に穿《うが》たれた小さな穴を確認して、どうやら超高速で飛来する弾丸を紙一重で回避したと推測する。

「なにかの撮影？」

「そうじゃないの？」

「なんか面白そうじゃね？」

ざわざわと周辺が慌ただしくなってくる。ただ出来事があまりに現実離れしていた所為《せい》か、そのほとんどは気楽な発言をしているだけで、なにが起こっているのか把握している者はいなかった。ニノさんは頬《ほほ》に怪しげな札を貼りながら立ち上がる。それから騒然とした雰囲気の中で再び逃亡者の追跡を開始した。

「俺たちも追うぞ！」

「先輩？」

博臣の感嘆符と聞き覚えのある可愛らしい疑問符が重なる。

振り向くと赤縁眼鏡の似合う少女が不思議そうな表情を浮かべていた。おそらく騒ぎを聞いて店内から出てきたのだろう。今日も今日とて眼鏡の神様を具現化したかのように眼鏡が似合っているのだが、僕の知らない誰かと談笑している姿を見てしまったという事実が、その神々《こうごう》しいまでの輝きを素直に可愛らしいと認めさせてくれない。どうやら僕の心は雨上がりに残る水溜りより狭くて浅いのかもしれない。

「未来ちゃん、悪いが説明は後回しだ。今は逃亡者の追跡を優先したい」

「え？　いや、あの、どういうことですか？」

あたふたしながらも駆け出した博臣を追走するところは異界士の本能かもしれないな。僕も並走しながら簡単に状況を解説する。

「近隣の建物で大きな爆発が起こって、その中から一人の異界士が飛び降りてきた。しかも逃走するそいつを追跡していたのがニノさんなんだよ」

「理由はわかりました」

端的に答えて栗山さんは表情を異界士のそれに変える。標的は雑踏に紛れることを選ばず道幅の狭い裏路地みたいなところへ逃げ込んでいく。善人なら他人を巻き込みたくないという配慮もあるかもしれないが、単純に考えれば、目立つ場所にいる限り誰かに捕捉されてしまうからだろう。まずはどこかへ身を潜めて追跡者を振り切る算段を立てているのかもしれない。

「逃がさないわよ！」

再び前方の空間を掴もうとした二ノさんは、まるで録画した映像を再現するように姿勢を崩す。さっきと異なる点があるとすれば、今回は無傷ということだけだろう。真っ先に追い付いた博臣は立ち上がる美女に声をかけた。

「大丈夫か？」

「まあ、なんとかね。それにしても位置確認もせず正確に発砲できるなんて……しかも私が仕掛ける瞬間を気配で察したかのような動きだったでしょう？」

「ああ。一度なら偶然も考えられるが二度はありえない」

経緯や戦局に関する情報交換を終えるより先に、二ノさんの仲間らしい男女二組が現場へ到着した。戦友の姿を捉えるなり「どの方向へ逃げた？」と視線で訴えかけている。美女が指で方角を示すと四人は隊列を組んで追跡を開始した。

「状況を教えてもらっても構わないか？」

静寂を取り戻した裏路地で美貌の異界士は情報提供を要求する。

「標的の名前は峰岸舞耶。協会に登録されてる情報だと戦闘能力は皆無なのに、実際はとんでもない怪物なんだから参っちゃうわ」

「その割には随分と楽しそうに見えるぞ？」

「妖夢以外と戦うなんて久しぶりだもの。前任の査問官二人が倒されて引き継ぐことになったんだけど、敗北がただの油断じゃないとわかって盛り上がってるところよ」

「相変わらず戦闘狂だな」

「だったら最前線より熱い会議室を紹介してくれない？」

ニノさんは蠱惑《こわく》的な笑みを浮かべながら服装を正した。

「檻の範囲を広げて標的を捕捉してもらうわけにはいかないのよね？」

「協会から依頼された仕事と判明した以上、管轄外で俺が動くわけにはいかないからな」

「それもまた異界士の常識ってやつか？」

僕が口を挟むと博臣は盛大に肩をすくめた。どうやら図星らしい。僕の突っ込みが契機となったのか背広姿の美女も動き始める。

「それじゃあ私も追跡に戻るから失礼するわ」

立ち去る背中を見送りながら僕は当然の疑問を繰り出しておく。

「追わなくていいのか？」

「内容を把握した以上、手を貸すわけにはいかない」

「それにしてもニノさんって名瀬の専属異界士じゃなかったのか？」

「なにか事が起これば優先的に協力してもらっているのは事実だ。ただ平常時の退屈な任務はニノさん好みじゃないのさ。だから手の空いているときは最前線の仕事をこなしているんだ」

ニノさんを専属異界士と勘違いしてしまったのは、真城の一件で名瀬が非常事態に陥っていたからだろう。僕の質問が終わると今度は栗山さんが口を開いた。

「一体なにをして追われているんでしょうか？」

「峰岸舞耶なんて聞いたこともない異界士だからな」

「さっきの建物爆破は関係ないのか？」

司会進行よろしく僕は要点を洗い出しておく。

「あれが原因ということはないだろうさ。ニノさんの説明だと以前から追われていたみたいだからな。それよりここから別行動させてもらっていいか？」

「それは構わないけど……いや……やっぱりなんでもない」

「歯切れの悪い奴だな。心配しなくてもアッキーの考えているようなことはしない。協会に問い合わせて峰岸舞耶の情報を仕入れるだけさ」

美貌の異界士は右手を軽く掲げて立ち去っていく。ちなみに僕が懸念《けねん》していたのは違反覚悟で助けに向かうことである。前科もあるだけに回答を鵜呑みにできないんだよな。ともあれ取り残された僕は傍らの少女に問いかける。

「栗山さん、どうする？」

「力になれるかわかりませんが援護に向かいませんか？」

「そう言ってくれると信じてたよ」

すでに二ノさんたちが峰岸舞耶の捕縛《ほばく》に成功しているかもしれないし、あるいは失敗して取り逃がしている可能性もあるが、ともかく事情を知ってしまった以上は助けたいと考えてしまう。なんと言われてもこればかりは性分なのでどうしようもない。

うろ覚えの逃走経路を追跡していくとコンクリート壁に背中を預けた負傷者を発見する。周辺に多量の血液が流れているが、傷口に貼られた護符の効力で、どうやら一命は取り留めているらしい。

「大丈夫ですか？」

「ああ……さっき二ノ宮と……一緒にいた連中だな。何者か知らないが……余計なことに……首を突っ込まないほうがいいぞ。峰岸舞耶の……戦闘能力は……予想以上に計り知れない」

「なにがあったんですか？」

傷口を押さえて苦痛に顔を歪めている男に小柄な少女は質問を続けた。協力すると決めた以上、抜かりなくやりたいのだろう。つまり負傷した男に遠慮して情報を拾い損ねるような失態は犯さない。

「か……完全に背後を……捉えていたんだ。それなのに……前方からの攻撃を回避しながら……俺に発砲してきた。まるでそこに……俺が飛び込んでくることを……予期していたかのような……ありえない正確さでな。なにを言ってるのか……わからないかもしれないが……俺自身が……なにをされたのか……わかっていないんだよ」

「ありがとうございます。先輩、先を急ぎましょう」

自然と僕の手を掴んで栗山さんは駆け出した。これ以上の情報は見込めないと判断したのだろうが、それ以上に現在も追跡している皆が心配なのだろう。

「栗山さんは峰岸舞耶に心当たりはないの？」

「ありません。先輩もこれまでに出会《でくわ》したりしていませんか？」

「いろいろな異界士に殺されかけたけど、白銀髪の少女異界士なんて初めてもいいところだ」

「白銀髪？　外国の方なんですか？」

「いや、そんな感じはしなかったな」

走りながらも栗山さんは周囲の確認を怠らない。路地裏を抜けた先は雑踏とは無縁の静かな場所だった。小柄な少女は密集した住宅の屋根を見上げて叫ぶ。

「あそこです！」

示された方向には峰岸舞耶を取り囲む三つの影があった。二ノ宮雫と男女一組の異界士である。三方向から繰り出された攻撃に対して、白銀髪の少女はなにかを上空へ放り投げた。

　次の瞬間、遠目からでも視界を塞ぎたくなるような眩《まばゆ》い光が発生する。虚を突いた峰岸舞耶は屋根から身体を投げ出して地面へ落下していく。意思の伝達を済ませるよりも早く僕と栗山さんの足は落下地点へ向けられていた。

「あの高さから落ちても大丈夫なのか？」

「目的が誘導や陽動でなければ生還するために逃げているはずです。なんの勝算もなく助からない高さから飛び降りるとは考えられません」

　その分析を証明するかのように前方から白銀髪の少女が駆けてくる。正面から鉢合わせるなんて悪運が強いにもほどがあるだろう。僕と栗山さんの姿を捉えると峰岸舞耶は足を止めて右手の拳銃を構えた。左右それぞれの手に漆黒の自動式拳銃を持ち、帯革《おびかわ》には銀色の回転式拳銃が差し込まれている。意図しなくても対峙する形になってしまった。

「新しい追っ手か？」

「あなたが逃げるならそうなりますね」

「余計な戦闘は本意じゃないが仕方ないな」

　白銀髪の少女は拳銃を構えたまま一歩ずつ距離を詰めてくる。栗山さんを庇《かば》おうと前方へ踏み出した僕は、小柄な少女に腕を引っ張られて転倒させられた。

「なにするんだよ！」

「先輩は下がっていてください！　眼鏡好きの突っ込み要員なんて戦闘では役に立ちません」

酷い言われようだった。しかも眼鏡好きの突っ込み要員とか完全に美月の言葉である。お願いだから悪い影響は受けないでほしい。

「…………」

この滑稽な展開に驚いたのか峰岸舞耶は歩みを止める。それから頬を緩ませて含み笑いを始めた。張り詰めていた緊張の糸が切れて変な空気になる。僕は地面に転がされたままの状態で虚勢を張っておく。

「随分と余裕じゃないか！　笑っていられるのも今のうちだぞ！」

「妖夢と異界士の組み合わせに警戒したが、どうやら追跡者としては素人みたいだな」

余裕綽々《しゃくしゃく》の表情で峰岸舞耶は胸元から取り出したロリポップを口へ運ぶ。唇に挟まれた白色の棒が細い煙草にしか見えない。そもそも腕に相当の自信があるとしても、この不自然なまでの悠然さはなんだろうか？

「正面から出会えたことに感謝するんだな」

「どういうことですか？」

「それを教える義理はないだろう？」

言うが早いか白銀髪の少女は栗山さんに突っ込んでくる。僕は急いで体勢を立て直そうとするが、それよりも早く峰岸舞耶の身体は中空を舞っていた。まるで棒高跳びでもしたかのような高度である。威嚇《いかく》のつもりか小柄な少女は左手の装飾を外して比較的長い刃を形成した。

「物騒な得物だな」

栗山さんを飛び越えて着地した白銀髪の少女は、首だけ振り返ると拳銃所持者とは思えない発言をする。小柄な少女は血液の刃を構えながら重々しい宣告をした。

「逃げるなら攻撃を加えます」

「許可なんていらないさ。ただ一つだけ言っておくことがある。殺される覚悟がないならやめておけ。そんな生半可な意志では私に勝てないからな」

「殺される……覚悟ですか？」

「引き金に指をかけていいのは撃たれる覚悟のある奴だけだ」

そんな言葉を残して峰岸舞耶は逃走を再開する。一瞬反応が遅れるものの栗山さんは脅威の瞬発力を活かして猛追《もうつい》。血液で形成された刃を一閃して拳銃を払い落とそうとする。

「邪魔臭い奴だな」

軽く跳び上がると白銀髪の少女は後ろ回し蹴りを放つ。しなやかな長い足が綺麗な円弧を描きながら、つんのめる栗山さんの側頭部へ襲いかかる。目を塞ぎたくなるような光景が訪れる直前、小柄な少女は刃を地面へ突き刺し、その反動を利用して迫る攻撃を回避した。

さらに流れるような動作で栗山さんは構えられた拳銃を見事に蹴り上げる。やはり異能力だけではなく、身体能力そのものが異様に高い。しかし接近戦における経験は峰岸舞耶も負けていなかった。弾かれた左腕を戻すより先に長躯《ちょうく》を利用した膝蹴りを放ってくる。この素早い反撃を単純に避《よ》けるわけではなく、小柄な少女は地面に突き立てた刃を軸に身体を旋回、標的が片足立ちになっているところを払いにいく。

これを白銀髪の少女は跳躍して上空へ回避する。しかし体勢の変えられない緊急避難は苦肉の策でしかない。無防備な落下時を狙われればどうしようもないからだ。ところが峰岸舞耶には指先だけで標的を殺せる二挺の拳銃がある。栗山さんもそれは重々承知しているらしく、正面を避けて背後へ回り込むように跳び上がった。目的は生け捕りなので捻りを加えた渾身《こんしん》の肘打ちを峰岸舞耶の後頭部へ向けて放つ。

勝利を確信したのも束の間――そうは問屋が卸さない。

「ふにゃ」

勢いよく後方へ反らされた標的の頭部が小柄な少女の額を強打していた。捨て身とも考えられる一撃が見事に功を奏したのである。栗山さんを応援している立場の僕にとっては、ありがた迷惑な結果であることは言うまでもない。地面に降り立つ二人の形勢は明らかに逆転現象を起こしていた。

「チェックメイト」

峰岸舞耶の構えた漆黒の拳銃が栗山さんの額を捉える。ほんの少し引き金を絞るだけで無機質な鉛玉が少女の命を奪ってしまう距離だ。銃口を突きつけられた栗山さんは完全に硬直しているし、僕自身も恐怖と緊張で身動き一つ取れない状況だった。

「あそこだ！」

「誰かと交戦している」

観衆の声が僕の呪縛を解き放ってくれる。

「ちっ！」

舌打ちしながら峰岸舞耶は左手の拳銃で少女の頭部を殴打《おうだ》した。殴られた栗山さんは小さな苦鳴を漏らして地面に崩れ落ちる。直後に現場から逃走した白銀髪の少女を二人の異界士が追走。少し遅れて登場したニノさんは険しい表情を浮かべながら栗山さんに駆け寄る。

「もう大丈夫」

背広姿の美女は負傷した少女の頭部に護符を押し当てる。原理はわからなくても栗山さんの意識が回復した事実に胸を撫で下ろす。落ち着きを取り戻した僕は小柄な少女に歩み寄る。

「無事で……よかった」

「足止めに……利用されて……しまいましたけどね」

「それはあなたが気に病むことじゃないわ」

言い終えるとニノさんは峰岸舞耶の逃げた方角へ視線を移した。逃亡のために容赦なく少女を殴打《おうだ》した獣みたいな奴だが、異界士に追われる姿に過去の自分自身を重ねてしまう。散々な出来事ばかりで孤独と絶望しかない日々だった。

「先輩？」

「あ、いや、なんでもない」

「ところで博臣くんは？」

周辺を確認しながら背広姿の美女は疑問を紡いだ。

「情報収集に出かけましたよ。それより標的を追いかけなくていいんですか？」

「助けてあげたのにその言い草はないでしょう？」

「そもそもニノさんたちが捕まえ損ねるから起こった問題ですよね？」

僕は語調を強めて詰問してしまう。八つ当たりだと理解していても栗山さんが負傷した事実に変わりはないからだ。

「まあ、それを言われるとぐうの音も出ないわね。ただ余計なことに首を突っ込んだそっちにも問題はあるでしょう？」

反論の余地もない正論だった。

「それで本当に追いかけなくてもいいんですか？」

「本来なら閃光弾で振り切られた時点で追跡失敗だからね。残された装備と人員で峰岸舞耶の確保は現実的じゃないわ。悔しいけど機会を改めて再挑戦するしかなさそうね」

「あいつ……なにをやらかしたんですか？」

「常識的に考えて真っ昼間から拳銃を発砲したら駄目でしょう？」

「えーっと……そこから始めるんですか？」

近そうで遠回りな発言に僕は辟易する。そんなとき栗山さんが横から口添えしてくれた。

「私も何者なのか気になります」

「あらあら、足止めしてくれた異界士の言葉は無視できないわね。ただ先に一つ質問したいのだけど構わないかしら？」

「もちろんです」

元気溌剌《はつらつ》に答える小柄な少女だった。

「言葉で表現し難いんだけど攻撃を予期しているような節はなかった？」

「特に感じませんでした。なにか気になるようなことがあったんですか？」

「ふむ」

背広姿の美女は鼻先を指で押さえながら思案する。

「ただの気紛れか特定の条件化で異能力が使えなくなるのか調査する必要があるわね」

ニノさんは仰々《ぎょうぎょう》しく腕を組んで顔を顰《しか》める。交換条件を忘れていそうなので催促しておく。

「こちらの質問に答えてもらっていいですか？」

「あら、ごめんなさい。一言で表せば逸《はぐ》れ者ね。ただ最近は確保に向かった凄腕を返り討ちにしてるから、容貌と合わせて『白銀の狂犬』なんて呼ばれているわ」

「最初に追われることになった原因もわかりますか？」

「異界士殺しよ」

背広姿の美女は端的に告げる。

しかしこのときはまだ――事の重大さをまるで理解していなかった。

第二章

五月十三日、日曜の夕方。

週末の大半を読書に費やす僕には珍しく、前日に続いて今日も遠くまで外出していた。

「漫画とコラボして眼鏡を販売するのはいいんだけどさ。数量と販売方法を限定するのはなんとかならないのか？　購買欲を刺激するつもりなのかもしれないけど、僕にとっては購入方法が不便になるだけなんだよな」

独りごちながら僕は帰路へ着くために駅へ向かう。比較的大きく華やかな駅の周辺にも高架下や裏路地のような薄汚れた場所がある。まるで陽の当たる表舞台を避けた日陰者たちが意思の疎通でも図ったように吹き溜まりは形成されていく。僕は夜になれば賑わうのであろう小さな飲み屋が所狭しと軒《のき》を連《つら》ねた場所を進む。

「ん？」

独特の臭いが漂う近道かどうかもわからない路地の中で一際異質な存在を発見する。点々と地面に滴《したた》り落ちている赤い斑点だ。しばしの逡巡《しゅんじゅん》を経て僕は赤い斑点を視線で追う。脇道から入り込んできた斑点は、電柱まで痕跡を残し、そこで消息を途切れさせている。

「あそこで止血したのか？」

僕は可能性の一つを口にする。それから周辺を隈《くま》なく見回すが新しい情報は得られない。脳裏に一年前まで頻繁に起こっていた出来事が蘇《よみがえ》る。異界士の襲撃を受け呆気なく殺されて――その後に身体を再生させて立ち上がる僕の姿だ。危機を上手く乗り越えた安堵《あんど》と終わらない絶望が交錯していた日々である。

「眼鏡を購入したときくらい晴れやかな気持ちで過ごさせてくれよな」

嘆息を漏らしながら僕は赤い斑点から顔を上げた。どこの誰かもわからない奴が血を流しながら逃亡している。ただそれだけのことだ。苦痛を伴いながら逃げているのかもしれないが、それは僕ではないし、僕の知っている誰かという可能性も極めて低い。

「こういうときは打算的に考えるべきだよな」

僕の知らない誰かなのだから無視したところで良心の呵責《かしゃく》は感じない。いや、それ以前の問題だろう。手の届く範囲で起こっている出来事から目を逸らす傍観者と違って、この場合における僕の立ち位置は無関係以外の何物でもない。

ところがだ。

「ああもう……最悪だ」

路地を抜ける直前、僕は見つけてしまった。

非常階段のような場所に負傷した少女が倒れている。顔を直視できたわけではないのだが、髪の色が独特過ぎて見間違いようがない。昨日、ニノさんに追われていた拳銃を使う異界士である。これが偶然か必然かはともかく、今考えるべきは、この状況をどう処理するかだろう。

「まったく……やれやれだ」

いつも以上に独り言を呟きながら僕は非常口の扉に手をかける。内側から施錠されているらしく、押しても引いても開く気配がない。仕方なく僕は壁を乗り越えて中へ侵入する。鉄板で構築された非常階段を駆け登り峰岸舞耶の元へ向かう。

「ギャース！」

可愛さを微塵も感じさせない爬虫類のような小動物が威嚇《いかく》してくる。黒色の鱗に覆われた生物は器用に二足で歩行し、奇声に合わせて鰐《わに》のような縦長の虹彩《こうさい》がこちらを睨む。瞬間的に白銀髪の少女を襲撃した奴かと身構えたが、どうやらそうではなく、どうも峰岸舞耶を守ろうとしているみたいだった。

「ギャッギャギャギャギャーッ！」

「どう考えても……妖夢だよな」

威嚇を繰り返す謎の生命体に僕は驚きを隠せない。しかも白銀髪の少女に手を伸ばせば攻撃を加えてきそうな勢いだ。とはいえ放置すれば力尽きてしまいそうな状況だが大丈夫なのだろうか？　なんにせよ峰岸舞耶を確保することは僕の領分ではない。とりあえず美月くらいに連絡を入れてニノさんへ取り次いでもらうのが最善か？

僕は携帯を取り出しながら思考を巡らせる。

しかし地面に伏した峰岸舞耶の姿を再確認すると、なんだか妙に憐れっぽくて、このまま野垂れ死んでしまえという気にはなれない。栗山さんを殺そうとした許し難い奴なのに、どうしてこんな気持ちになるのだろうか？

「ギャッギャッギャース！」

「ちょっと落ち着いてくれよ」

差し出した手を爬虫類みたいな妖夢に齧《かじ》られる。負傷した指先から血が滴り落ちて、地面に新たな血痕を形成していく。僕は再生する傷口を見せながら不気味な生物に告げた。

「そいつを助けたいなら少しは協力しろ」

「ギギッ……ギ？」

不死身特性を目の当たりにした妖夢は不思議そうに頭を傾げる。邪魔者の気を逸らした僕は白銀髪の少女に疑問符を投げかけておく。昨日は気にも留めなかったのだが、髪色との差もあって、右目の下にある泣き黒子が印象的だった。

「大丈夫か？」

しばらく待っても返答はない。今度は肩を揺すりながら呼びかけてみる。

「おい、しっかりしろ」

「ん……くっ……誰だ？」

朦朧《もうろう》としながらも峰岸舞耶は手にした銃をこちらへ向けてきた。至近距離なので定まらない照準でも脅威である。しかしそんなことを気にしている場合ではない。

「瀕死のくせに無駄口を叩くな。質問するのは僕だけでいい。追跡者を振り切ってからどこへ向かうつもりだった？　まさか逃げ込む場所を確保していないわけじゃないだろ？」

「…………」

峰岸舞耶の胡乱《うろん》とした瞳が僕を捉える。前日に遭遇した流れからすると追跡者の仲間と判断されるかもしれない。どうしたものかと考えていると妖夢が意識を取り戻した白銀髪の少女に飛び乗り騒ぎ始める。

「ギャース！　ギャース！　ギャース！」

「ははっ……モグタンは……無事なんだな。それなら……早く……ここから離れろ。心優しくない……異界士に……見つかったら……処分されてしまうぞ」

それだけ言い残すと峰岸舞耶は再び意識を失った。少女の言葉が僕の脳を激しく揺さぶる。おそらく僕がこれからしようとしていることは絶対に正しくない。しかし頭で馬鹿な行為と理解していても、その衝動を抑制することはできなかった。

「モグタン、安全な場所を知ってるなら案内してくれ」

僕は携帯を直しながら小さな妖夢に問いかける。完全に名前負けしている不気味な生物は言葉がわかるのか、陽気な声で騒ぎ立てながら峰岸舞耶の服を漁り始めた。そこからマンションの鍵みたいなものを取り出すと非常階段から廊下へ移動していく。

「まったく……ぎりぎりのところで力尽きてるんじゃねえよ」

突っ込みながらも僕は白銀髪の少女を背負う。身長は高いのに余計な脂肪が絞られている所為か重くない。いやいやいや、この状況で述べる感想じゃないな。ともあれ僕は先行する妖夢の跡を追い三〇七号室まで峰岸舞耶を運んでいく。

「救急箱は？」

僕は負傷者を仰向けに寝かせながら室内を見回した。殺風景な部屋の片隅に木箱が大量に積まれている。ほかには簡易ベッドや冷蔵庫といった生活必需品しか見当たらない。家捜しを始めるより先に妖夢が一番手前の木箱に飛び乗った。

「そこなんだな」

言うが早いか僕は木箱を開けて中を確認する。ニノさんや彩華《あやか》が使いそうな言語とは異なる文字の描かれた護符が乱雑に詰め込まれていた。

「ギャース！」

悲鳴に釣られて視線を移動させると、ぷすぷすと煙を立てる妖夢の姿があった。どうやら護符を持ち運ぼうとして被害を受けたらしい。

「なにやってんだよ！　妖夢という自覚を持て！」

代行して護符を手に取ると、焼けるような痛みが指を襲う。

「くっ……他人事じゃないな」

どうやら僕も半妖夢という自覚が足りなかったらしい。難儀な護符を手放して患部を確認する。すぐに治る程度の軽い火傷を手に負っていた。

ともあれ今は峰岸舞耶を優先するべきだろう。どれがどのような効力を有しているのか知らないので、ともかく数種類の護符を持って負傷者の元へ駆け寄る。いくつかの護符を患部へ押し当てると、なにやら得体の知れない術式が展開した。札に描かれた文字から淡い光が発生して負傷した部位を包み込んでいく。

「大丈夫か？」

意識を取り戻したらしい峰岸舞耶は素早く銃を抜いて構えた。疲弊した表情の中にある酷く荒んだ瞳がこちらを睨む。しかし僕は怖いというより寂しそうな印象を受けた。これは獰猛《どうもう》な獣が弱者を睥睨《へいげい》したものではなく、怯えていることを悟られたくなくて強がっているに過ぎない。だからこそ僕は普段と変わらない軽口を叩いておく。

「命の恩人にそれはないだろ？」

「どうして……私を助けた？」

「見知った顔が倒れていたら普通は無視しないだろ？」

「…………」

充分な間を空けてから白銀髪の少女は疑問を口にする。

「昨日は私を捕まえようとしていたじゃないか？」

「追跡者の一人が知り合いだから協力しただけだ。それにもし本気で確保するつもりなら助けたりしないだろ？　多少なりとも恩義を感じてくれるなら、その物騒な代物を下ろしてくれないか？」

「…………」

重く長い沈黙を破ったのは、ぷすぷす状態から復活した妖夢だった。

「ギャギャギャ……ギャッギャ……ギャース！」

「モグタン……心配をかけたな」

飛びかかる妖夢を峰岸舞耶は優しく抱き締めた。まるで愛猫と戯れる子供のように無邪気な笑みを浮かべている。その光景が僕の心に深く突き刺さった。ただ存在するだけで悪とされる妖夢を、そんな素敵な笑顔で見つめられたら堪らない。

「あのさ……それ……本物の妖夢だよな？」

「私の親友をそれ呼ばわりするな」

白銀髪の少女は鋭い眼光でこちらを睨む。

親友――ね。

だから僕は峰岸舞耶に過去の自分自身を重ねたのかもしれない。誰かと親しくなればなるほど絶望を経験することになる。ゆえに峰岸舞耶は妖夢に安らぎを求めたのだろう。それが報われる行為かどうかは別として、僕が次に取れる選択肢は決定されていた。

「とりあえず完治するまで安静にしておけよ。僕はもう帰るからさ」

立ち上がり部屋を出ようとしたところで、背後から「待て」と有無を言わせない声が発せられた。ゆっくりと振り返ると白銀髪の少女が銃口をこちらに向けている。

「このまま帰すわけにはいかない」

「今日の出来事は誰にも話さない。だから心配するな」

「その言葉を鵜呑みにするほど私はお人好しじゃない。ここで始末しておくのが一番確実だ」

「二度目かもしれないけど少しは命の恩人に敬意を表したらどうだ？」

僕は軽口で応戦する。いきなり背後から撃たなかったということは、なにかしら解決に向かう方法があるはずだからだ。もちろん発砲された場合に備えて、脳と心臓を死守する構えは崩さない。

「随分と生意気な口を利くじゃないか？」

「異界士に何度も殺されそうになってるからな。銃口を向けられたくらいじゃ驚きもないよ」

「妖夢の宿命だな」

「正確には半妖夢だけどな。それがより不幸を招いているところが笑いどころだ」

おどけた素振りを見せておくが峰岸舞耶は無言のままである。重苦しい雰囲気を払い除けたのは少女の親友らしい妖夢だった。

「ギャッギャッギャッギャッ！」

「ふむ。モグタンがそこまで言うなら仕方ないな」

白銀髪の少女は銃を下ろして部屋の中へ進んでいく。

「おい」

「なんだ？」

「ちゃんと事情を説明しろ」

「今回は見逃してやる。モグタンに感謝するんだな」

理不尽な言葉を紡ぎながら峰岸舞耶は小型冷蔵庫を開ける。食料と水が理路整然と敷き詰められているのだが、明らかに味よりも日持ちを優先させた食品群に思わず顔を顰《しか》めてしまう。

その中からミネラルウォーターを取り出した少女は強請《ねだ》る妖夢に水を飲ませていた。

「あのさ」

「なんだ？　私の気持ちが変わらないうちに帰ったほうが身のためだぞ」

「異界士は妖夢を処分する立場じゃないのか？」

「そういう機械的な判断は嫌いだ。本当に邪悪な妖夢もいれば、そうでない妖夢もたくさんいる。妖夢だから殺されても構わないなんて理不尽もいいところだ」

「それでも……妖夢は……怖くないのか？」

「人間の悪意に比べれば、妖夢なんて可愛いものさ」

言いながら峰岸舞耶は妖夢に与えていたペットボトルを口へ運ぶ。愛犬家や愛猫家がペットを家族同然に扱うことは珍しくない。白銀髪の少女が取った行動は、おそらくなんの気もなしだろう。足下では水を返せとばかりに妖夢が絡み付いている。半妖夢というだけで忌み嫌われてきた僕にとっては、ただそれだけのことで報われた気持ちになってしまう。

「それじゃあ、僕はもう帰るよ。今日の出来事は本当に他言しない」

「待て」

「見逃してくれるんじゃなかったのか?」

「言い忘れていたことがある。助けてくれて……ありがとう」

腕に抱かれた妖夢が「ギャース!」と嬌声を上げる。

僕は先方の気が変わらないうちに部屋を退出した。


五月十四日、放課後の部室。

「この眼鏡三部作が捨て難いんだよな。眼鏡好きなら避けて通れない『眼鏡さえ似合えば誰でもいいのか?』という命題に正面から向き合っている。原稿を読み進めるうちに僕の眼鏡愛にも火が点いてさ、どうやって眼鏡普及率を上げるか真剣に考えさせられたよ」

「秋人、汚物塗れにされたくなかったら黙りなさい」

「いっそ殺してくれ! 汚物塗れってなんだよ!」

「汚物は汚物に決まっているでしょう?」

「そんなことはわかってるんだよ！　どうして汚物塗れにされなければならないのかという話をしているんだ！　というか脅し文句が実現可能な範囲で怖過ぎるわ！」

「選考作業をしないで馬鹿なことばかり言ってるからよ」

「おいおい、眼鏡の普及は馬鹿なことじゃないだろ？　計画としてはまず栗山さんの宣材写真を作成して全国の眼鏡販売店に置いてもらうんだよ。これだけで『私も眼鏡をかければ変われるかな』という女子が増えるだろうし、思春期の男子が抱きがちな『眼鏡＝地味』みたいな幻想も破壊してくれるわけさ。そもそも近未来的にはＰＣの機能をすべて詰め込んだ眼鏡が発売されて、眼鏡を通して見た景色を共有したり、あるいは友だちや家族に保存動画として送付できるようになるんだぞ。そうなれば眼鏡普及率大幅上昇は間違いないだろうな」

「不愉快です」

「堂々と栗山さんの口癖を真似するな！」

まったく油断も隙もない。

「不愉快です」

「うお、今度は本家じゃないか！　というか栗山さんに僕なにかした？」

「ふざけていると『芝姫』の刊行が間に合わなくなりますよ？」

小柄な少女は頬を膨らませて抗議してくる。入部して間もないのに副部長である僕より意識が高い。言うまでもなく怒った顔さえ眼鏡が似合っているのだが、これ以上栗山さんの機嫌を損ねる必要はないだろう。僕は自身の選考が滞りなく進行していることを強調しておく。

「以前に博臣が推していた妹の物語、あれは掲載しておきたいんだけどいいか？」

「ちゃんと読んで確認したの？　兄貴の戯言を真に受けての決定なら許さないわよ」

「きちんと読了しての発言だ。これまで泣ける系の物語が一つもなかったから、全体のバランスを考えても載せるべきかなってさ。全面的には無理でも少しくらい博臣のことを信用してやったらどうなんだ？」

「そんなことより部室の雰囲気が悪いわ。秋人、ちょっと盛り上げてくれないかしら？」

「支離滅裂だ！」

「それじゃあ、私が問題を出します」

「だから会話のキャッチボールをしてくれ！　それとも変化球しか投げられないのかよ！」

「失礼ね。私の投げる球はすべて暴投よ」

「余計に性質が悪いじゃねえか！　あと一本取ったようなしたり顔をするな！」

「お使いを頼まれた未来ちゃんと美月ちゃんは青果店へ向かいました」

「唐突に問題が始まった！」

　とりあえず盛大に突っ込んでみたものの、栗山さんが出てきたのでつい耳を傾けてしまう。

「そこで未来ちゃんは一玉八百円の西瓜を両手で抱えて、美月ちゃんは一つ百円の林檎と一つ五十円の蜜柑を選びました。そしてそれらを握り潰しながら『次にこうなるのはあなたよ』と秋人くんに宣告します。このとき秋人くんにかかる精神的負荷を答えなさい」

「生涯忘れられない負荷だよ！　算数の問題からまさかのホラーじゃねえか！　西瓜と林檎と蜜柑の値段を足し算していた僕の優しさを返せ！　それと四歳児くらいの栗山さんと美月が一生懸命買い物している光景を想像していた僕の幸せを返せ！」

「ままま真面目に選考してください！」

不意に立ち上がると眼鏡の似合う後輩女子は机を叩いて抗議した。僕に対する免疫は多少あっても、美月にはまだ遠慮が残っている。それを証明するように栗山さんの頰は気恥ずかしさから朱に染まっていた。

「新入部員に注意されているようじゃ部長失格ね。秋人、雑談は中止にして選考作業に戻りましょう。栗山さん、ごめんなさいね」

「あ、いえ、こちらこそ申し訳ありません」

素直に謝られた所為か小柄な少女は必要以上に恐縮する。静けさを取り戻した部室内に原稿を捲《めく》る音が微かに響く。普段なら退屈凌《しの》ぎにくだらない戯言を発する博臣も、本日は無口無表情な文学少女よろしく読書に勤《いそ》しんでいる。僕は左手で原稿を捲りながら右手でペットボトルの烏龍茶を口へ運ぶ。文芸部らしい静かな空間の中に美月の異質な言葉が零れ落ちる。

「栗山さんを性的な意味で抱き締めたい」

僕と博臣は口に含んだ烏龍茶を盛大に吹き出していた。げほげほと咽《むせ》ながら二人揃って口を拭う。なんとか平静を装いながら僕は黒髪の少女へ苦言を呈した。

「真面目に選考するんじゃなかったのか？」

「ぐえっへっへっ、栗山さん、大人しく私に抱かれなさい」

まるで僕の話を聞いていない。というか卑猥《ひわい》な手の動きを止めろ。

「いけませんいけません」

「ここは『不愉快です』の出番じゃないのか！」

あたふたと狼狽《うろた》える後輩女子に僕は思わず突っ込んでいた。口癖なんて半ば強引に使い続けることで定着させるものじゃないのか？　とはいえ本質的な問題は栗山さんの反応ではない。

「美月、まだ風邪が完治してないのか？　どうも今日の様子は普通じゃないぞ」

「私を怒らせた理由に心当たりはないの？」

さっきの言動は怒りを表現したものだったのか？　というより最初からずっと様子がおかしかったのは、その怒らせた理由とやらに起因しているのかもしれないな。僕は一日の出来事を振り返り原因究明を急いだ。しかしそれらしい情報を導き出すことができない。

「昼休みは別行動だったし、部室へ来てからなにかしたか？」

「ニノさんから話を聞いたのよ。私が寝込んでいるとき危険なことに首を突っ込んできたんでしょう？　無謀なことはしないという約束を忘れたとは言わさないわよ？　約束通り栗山さんの眼鏡を外して兄貴をボッコボコにするわ」

「おいおい……無関係な俺が不当に損をしていないか？」

「美月先輩、ボッコボコじゃなくてポコポコです」

　素早く間違いを訂正しているが、おそらく今その配慮はいらない。

　それにしても博臣は殴られるかもしれないのに余裕だな。僕が逆の立場なら間違いなく取り乱しながら突っ込んでいただろう。いくら眼鏡をかけてもらったとしても、罵られるのと殴られるのでは差があるからな。

「兄貴が先か栗山さんが先か秋人に選ばせてあげるわ」

「そんなの選べるわけないだろ！」

　きっぱりと僕は断言した。黒髪の少女は嗜虐的な笑みを浮かべる。

「栗山さん、こっちへ来なさい」

「やっぱり博臣からで！」

「アッキー……ちょっとでも信じた俺が馬鹿だったぜ」

　落胆する博臣に言い訳さえできない。ともかく僕は話し合いによる解決を目指した。

「あのさ美月、平和的な方法で怒りを鎮めてくれないか？　眼鏡を外した栗山さんと血塗《ちまみ》れの博臣を見ながら選考なんて堪えられないからな」

「仕方ないわね。それに私も眼鏡を外したり殴ったりするのは本望じゃないのよ」

「わかってくれるのか！」

「だから一分間に『きゃりーぱみゅぱみゅ』と噛まずに百回言えたら許してあげる」

「まったく許す気がない！」

「それじゃあ一分間に『きゃりーぱみゅぱみゅ』と噛まずに百回言えたらキスしてあげる」

刹那、美貌の上級生が早口言葉を連ねる。

「きゃりーぱみゅぱみゅきゃりーぱみゅぱみゅきゃりーぱぴゅ……くそっ……きゃりーぱみゅぱみゅきゃりーぱみゅぱみゅきゃぴゃ……痛っ……きゃりーぱみゅぱみゅきゃりーぱみゅぱみゅきゃりーぱきゅ……だが俺は……絶対に諦めない」

「もういい！　やめるんだ博臣！」

「アッキー……そうはいかない。男には引けないときがあるんだ」

「このまま続けたら確実に死ぬぞ！　すでに口から血を流しているじゃないか！」

「ちょっと……舌を……な。ただ気にするような怪我じゃないさ」

「……博臣……」

「きゃりーぱみゅぱみゅきゃりーぱみゅぱみゅきゃりーぱ……あぐっ……きゃりーぱみゅぱみゅきゃりーぱみゅぱみゅきゃぴゃ……こんなところで……俺は力尽きてしまうのか？」

情熱に満ち溢れた美貌の上級生は悔しげに拳を握り締める。妹にキスしてもらうという不純な動機のくせに、まるで強敵を前にした主人公のような風情だった。だから僕は博臣の「主人公補正」を引き出すための実験を試みる。

「確かに状況は厳しいかもしれない。ただこんなところで諦めていいのか？　美月に『あのとき俺は全力を尽くした』と誇れるのか！」

「そんなことアッキーに言われてなくてもわかってるさ……素直にキスしてあげると伝えられない美月のために俺はこの試練に立ち向かう！」

「その意気だ博臣！」

「きゃりーぱみゅぱみゅきゃりーぱみゅぱみゅきゃりーぱぐっ！」

盛大に舌を噛んだらしい博臣は口を押さえて沈黙する。すべての女子が恋に落ちてしまいそうな美貌も完全に形無《かたな》しだった。

「やっぱりこれが現実だよな」

僕は原稿を捲りながら溜め息を漏らした。

「どういうことかしら？」

「これだよ」

僕は美月に原稿を手渡しながら説明する。

「眼鏡三部作とは別の原稿なんだけど、これはもう掲載決定でいいんじゃないかな。内容は王道の学園バトル系なんだけどさ。とにかく『主人公補正』の扱い方が秀逸なんだよ」

「なによそれ？」

「どんな逆境に立たされても主人公が負けることってないだろ？　仮に敗北する場合も大抵は

成長させるための糧だし、ここ一番の大勝負では最終的に必ず勝利を収める。物語の進行に必要なら福引きで温泉旅行も当てるし、それまで歯が立たなかった投手相手でも、九回裏二死満塁なら本塁打が約束されているわけさ」

「そんな話を聞くとこれまで読んできた王道の、本来なら泣ける場面も半笑いになりそうね」

雑談が繰り広げられる中、ふと美貌の上級生が栗山さんに声をかけた。

「ところで未来ちゃん、異界士証は普段から持ち歩いているよね？」

「もちろんです。あの……ええと……どういうことでしょうか？」

博臣の発言に小柄な少女は戸惑いを隠さない。そもそも異界士証がなにかさえわからない僕は、それとなく美月に視線を向けるが華麗に無視される。

「名瀬の懐刀《ふところがたな》と称しても差し支えない二ノさんの推薦が思いのほか強くてね。幹部会では一時保留の形が最有力だったんだが、泉姉《いずみねえ》の一声で二ノさんに花を持たせる結果になったんだよ。そんなわけで特に不都合がなければ同期させてもらっていいか？」

「…………」

説明を受けた後輩女子は言葉を失っている。こういう場合、素人代表として僕が話を進めるべきだろう。緊迫した状況の緩和が狙えるなら尚更だ。

「素朴な疑問で悪いんだけど異界士証ってなんだ？」

「平たく言えば異界士であることを証明してくれる身分証だな。異界士協会というところに情報を登録することで発行してもらえる。異界士を管理する協会としては情報収集に役立つし、異界士個人としても協会が身分を証明してくれるわけで、依頼者や相談者からの信用を得られ易くなるメリットがあるんだよ」

「反対に言えば未登録者はかなり分が悪くないか？」

「そうだな。少なくとも表立って活動したい異界士は登録を済ませているだろうさ」

「ふーん、それで異界士証ってどんなの？」

「おいおいアッキー、異界士証は誰彼構わず見せるようなものじゃないんだぜ」

「あ、いえ、私のでよければどうぞ」

おずおずと栗山さんは取り出した異界士証を差し出してくる。提示された異界士証とやらには栗山さんの写真と項目別にアルファベットが記入されていた。初見の僕には写された少女の顔に眼鏡が似合っていることくらいしかわからない。ちなみに後輩女子の詳細はこんな感じで記載されている。

【氏名】　栗山未来
【性別】　女
【攻撃力】　A
【防御力】　C

【耐久力】　C
【瞬発力】　B
【持久力】　D
【精神力】　C
【知力】　C
【霊力】　A
【等級】　E

「このA～Eってなにか基準があるのか？」

「当たり前だ。雰囲気で決定されたら笑えない」

博臣の言葉を栗山さんが補完してくれる。

「登録している異界士の上位五パーセントがA、その下の六パーセントから二十パーセントがB、中間の二十一パーセントから六十パーセントがC、下位の六十一パーセントから九十五パーセントがD、九十六パーセントから下がEという風に区分されています」

「ふーん、つまり完全な相対評価なんだな」

わかりやすく登録者の総数を百人と仮定したら、Aが五人、Bが十五人、Cが六十人、Dが十五人、Eが五人、というような真ん中寄りに集束する計算だ。僕は栗山さんの異界士証を再び眺める。

「博臣や美月も似たようなものを持ってるのか？」

「私は依頼も演習も受けてないから能力値が未記入だけどね」

言いながら黒髪の少女は異界士証を表示する。

【氏名】　名瀬美月
【性別】　女
【攻撃力】　A
【防御力】　－
【耐久力】　－
【瞬発力】　－
【持久力】　－
【精神力】　－
【知力】　－
【霊力】　－
【等級】　A

確かに各項目の横に棒線が引かれているだけだった。しかし二項目だけAの表記がある。

「二項目だけAが記入されているのはどういうことだ？」

「防御に関しては檻を生み出せるだけで推定A評価なのよ。確かに上位五パーセント以下になることはないのかもしれないけど、なにもしていない状況で過大に持ち上げられても困るわ。等級も家柄や経歴で決定されるものだから微妙よね」

「ふむ」

つまり名瀬家の嫡子《ちゃくし》というだけでAなのだろう。血に纏《まつ》わる一族の栗山さんがE評価であるように、美月もまた本人の意思とは関係なく評価を下される。そんなことを考えている間に博臣は用件を済ませたらしい。

「確かに未来ちゃんの異界士情報を同期させてもらった。なあ、なあなあの関係で迷惑をかけたり協力してもらうより、名瀬からの正式依頼と協会に公認してもらったほうがいいからな」

「いや……あの……でも？」

「泉姉が決めたことだからな。別に俺が口添えしたわけじゃない」

「遠慮することなんてないんじゃないかしら？　おそらく泉姉さんの中じゃ二ノさんに花を持たせる以外の効果も含んでいるでしょうからね」

さすが美月……わかっていらっしゃる。

「僕が口出しするのも変なんだけどさ。なあなあの関係よりきちんとしていたほうが名瀬側も助かるんじゃないか？」

「先輩は……気楽過ぎます。これがどういうことかちっとも理解していません」

ちょっと拗《す》ねた感じの眼鏡女子も堪らなく可愛らしい。

ともあれここは僕が一肌脱いで取り持つべきだろう。

「栗山さん、グミチョコ食べる？」

「頂きます」

「はい。それじゃあ、あーんして」

「あーん……ってどうして普通にくれないんですか！」

しっかり口を開けてから文句を言う栗山さんだった。本当にもうどうしようもなく眼鏡可愛い。あれ、今最先端の言葉が生まれなかったか？　エロ可愛いとかキモ可愛いの一歩先を行く褒め言葉として眼鏡可愛いって流行らないかな？　いや、そもそも他力本願でどうする！　こんなときこそ僕が動かなければいけないいんじゃないか！

「あの……先輩？」

きょとんとした表情で小柄な少女がこちらを見つめている。ここで嘘を吐くのも心苦しい。

だから僕は隠し事をせず正直な気持ちを吐露《とろ》した。

「栗山さんはグミチョコを食べて美味しい思いをする。だから僕もグミチョコをあげることでおいしい思いをしたい」

「言ってることが……よくわからないんですけど？」

「だから『あーん』するだけでいいんだよ」

「…………」

明らかに納得していない感じだったが、栗山さんは再び小さな口を開けてくれる。僕は摘《つま》んだグミチョコをその中に落とす。小柄な少女は口を閉じて球体を舌で転がし始める。すぐさま荘厳な滝から発せられるマイナスイオンの何十倍にも匹敵する癒し効果の高い微笑みが零れ落ちた。

「美味しいです」

ほにゃ可愛い。

ほにゃ眼鏡可愛い。

ほにゃほにゃ眼鏡可愛い。

「秋人、私にもやらせなさい」

許可を得るよりも先に美月は僕からグミチョコの箱を奪い取る。そして眼鏡の似合う後輩女子に向かって「あーん」とか言い出していた。展開はどうあれ部室内の空気は和《なご》やかな方向に収束していく。しかしその流れに反して僕は峰岸舞耶のことを考えてしまう。

――私が寝込んでいるとき危険なことに首を突っ込んできたんでしょう？

美月の言葉はどこまでも正しい。異界士に追われる異界士のことなんて本来考えるべきではないだろう。ただ妖夢を親友と呼ぶ少女の顔を忘れることができない。誰かの役に立つことで存在意義を見出していた僕のように、峰岸舞耶もまた、なんらかの事情があって妖夢に依存しているのだろうか？

過去の出来事——吐き気がする。もう二度とあんな体験はしたくない。

「先輩？」

グミチョコを頬張りながら後輩女子が小首を傾げる。傍らに立つ黒髪の少女も僕の異変を察したらしい。不安と心配と苛立《いらだ》ちが一対一対八の割合で混合された顔を向けてくる。

「どうかしたの？」

「いや、なんでもない」

「あらそう。てっきり私の知らない女のことでも考えているのかと思ったわ」

相変わらず女の勘が半端ない美月だった。表情に出してしまったのか栗山さんが詰め寄ってくる。もちろん嫉妬しているわけではなく、ただ単純に心配している様子だった。

「峰岸さんのことを考えていたんですか？」

「いや……あの……その」

「なにか心配事があるなら教えてください」

「…………」

昨日、瀕死の峰岸舞耶を助けたなんて言えるわけないじゃないか？

いや、本当に知られたくないのはそんなことじゃないのかもしれない。僕は栗山さんや美月と現状の関係を壊したくないだけだ。余計なことに首を突っ込んで今の環境を失う必要はないだろう。

「おい、悪ふざけはそこまでだ」

不意に美貌の上級生が神妙な面持ちで立ち上がる。ほかの三人から一斉に注目を向けられた博臣は、その表情を異界士のそれに変えて情報伝達を始めた。

「厄介な連中がこちらへ向かってる。目的は不明だが直線で五百メートルの距離だ」

「どういうこと？　ニノさんの話し振りだと名瀬は無関係だったわよ。それともまだ解決していない問題でもあるの？」

美月は不安と不満が混合された複雑な顔で訴える。

「心配しなくても妖夢の来訪や半端な異界士による反乱じゃないさ」

「回りくどい言い方はやめて頂戴」

「査問官だ。しかも三人いる」

その言葉を聞いて黒髪の少女と栗山さんの顔が強張る。相変わらず蚊帳《かや》の外である僕だけが冷静に状況を見据えていた。兄に遅れること十数秒で美月も這い寄る気配を察したらしい。

「泉姉さんを協会の監察室へ勧誘しに来たときとは様子が違うわ」

「だから俺もこうして警戒してるんだよ。ただの挨拶にしては気合が入り過ぎてるからな」

部室内に異様な緊張感が漂う。だからこそ僕は恒例の台詞を口にした。

「毎度悪いけど僕にも理解できるよう説明してもらっていいか？」

「異界士を管理して暴挙を取り締まる連中だ」

そんな組織が存在することをつい最近耳にしていた。確か「異界士協会」みたいな判を押したように捻《ひね》りのない名称だったと記憶している。

「異界士証を発行している組織の連中か？」

「ああ――協会の存在理由は異界士の管理と監視だからな。場合によっては違反者を実力行使で取り締まる必要があるし、そういった荒事を一手に引き受ける専門の異界士が存在する」

「それが査問官というやつなんだな？」

美貌の異界士は静かに顎を引いて肯定する。それから鋭い視線を部室の扉へ向けた。まるでそれが合図であるかのように扉を叩く音が室内へ転がり込んでくる。

「どうぞ」

僕が代表して告げると扉が開いて三人の査問官が姿を現した。その容姿を確認した僕は息が詰まりそうになる。なぜなら先頭を歩く優男風の青年に見覚えがあったからだ。いや、それだけではない。傍らに立つ和装の男と黒装束に身を包んだ少女も見知った顔である。

「随分と警戒されているようだ。これから一戦交えるつもりなのかい？」

「そちらが意味深な雰囲気を醸《かも》し出しているからでしょう？」

査問官の皮肉に美月が応戦する。優男風の青年は肩をすくめながら言葉を紡いでいく。

「可愛らしい顔に似合わず気丈な振る舞いだね。まあ、名瀬泉《なせいずみ》の性格を考えれば当然のことかもしれないな。しかしそんなことより話を進行させてもらっていいかい？」

「挨拶もなしに本題というのは感心できないな」

「こちらの身分が伝わっているなら余計な自己紹介は蛇足《だそく》にしかならないよ」

博臣の反論を優男風の査問官は軽く往《い》なした。まったくどうでもいいことかもしれないが、異界士という連中は効率的に話を進められないのだろうか？　協会の規則に回りくどい説明をしなさいとか普通に書かれていそうな気がしないでもない。

「しかしまあ、名瀬に敬意を表する意味を兼ねて名乗るとしよう。異界士協会の監察室に所属する藤真弥勒《ふじまみろく》だ。後ろの二人は楠木右京《くすのきうきょう》と永水桔梗《えいすいききょう》。いちいち説明する必要はないのかもしれないが、もちろん後ろの二人も監察室に所属する査問官だ」

それぞれを紹介しながら優男風の青年は表情を緩める。誰かが攻撃を仕掛けたり暴言が飛び交っているわけでもないのに、七名が詰め込まれた文芸部室には得も言われぬ緊張感が漂っていた。その嫌な空気に気圧《けお》されながらも美月は言葉を絞り出す。

「用件を聞かせてください」

「先日、都市部で爆破事件が起こってね。君以外の三人はたまたま現場に居合わせたようだから、担当者から簡単な経緯くらい聞いているんじゃないかな？」

「爆破事件？　というより三人一緒だったの？」

驚きを隠さない黒髪の少女にこちらから質問しておく。

「ニノさんに聞いたんじゃないのか？」

「上機嫌でハイボールを飲みながら『神原くんがまた余計なことに首を突っ込んでたわよ』と暴露していただけだもの。兄貴、そんな大事《おおごと》に巻き込まれたのならきちんと報告しなさいよ」

水を向けられた博臣はあたふたしながら言い訳を始める。

「美月に余計な心配をかけたくないから報告しなかっただけだよ」

「そうやって私のためと言い訳するところが許せないのよ。そもそも私を差し置いて三人で仲良く事件に巻き込まれるなんてどういうつもりかしら？」

「あれは美月が風邪で寝込んでいた日の出来事だから仕方ないだろ」

「つまり私が高熱で倒れているときに三人だけでよろしくやっていたわけね」

「誤解を招くような言い方をするな！」

反射的に突っ込んでしまう僕がいた。どうせだから説明を付け加えておく。

「そもそも三人で待ち合わせをしたわけじゃないんだよ。用事を済ませて帰る途中に偶然知らない男と歩く栗山さんを見つけてさ。それで居ても立ってもいられなくて跡をつけたんだよ」

「アッキー」

「確かお洒落なカフェで談笑する二人を張り込んでいるときに爆破事件が起こったんだよな。

そのあとは異界士お決まりの戦闘に巻き込まれたという感じだよ。だから美月が考えているような疚《やま》しいことは何一つ起こっていないんだ」

「アッキー」

「なんだよ博臣？　お前が美月に隠し事をするから面倒な言い訳をさせられてるんだぞ。このままだと美月に内緒で密会していたみたいに思われるだろ」

「いいから美月と未来ちゃんの顔を交互に見てみろ」

指摘された通り僕は同級生女子と下級生女子の顔を見比べる。前者はにやにやと笑みを浮かべており、後者は軽蔑の視線をこちらへ向けていた。これだけ眼鏡が似合っているのに、その奥にある瞳が僕を断罪している。それは美月の毒舌以上に僕の精神を蝕《むしば》む効果があった。

「栗山さん、どうしてそんな不愉快な顔をしているわけ？」

「不愉快だからです」

きっぱりと宣言されてしまった。意味がわからないとはこの事である。

「僕なにかしたっけ？」

「声もかけず尾行するなんて最低です」

「なっ！　おい、博臣！　男同士における鉄の掟を破りやがったな！」

「落ち着けアッキー」

「この状況で落ち着いていられるか！」

「むしろ俺はアッキーの失態を誤魔化《ごまか》そうとしてやったんだぞ？　とにかく三分くらい前からの会話を脳内で再生してみろ。それでも理解できなかったら俺が解説してやるよ」

「ん？」

嫌な予感が怒濤《どとう》の勢いで押し寄せてくる。美月に対する弁明を再生した辺りで目の前が暗転しそうになった。博臣の善意を押し切り「確かお洒落なカフェで談笑する二人を張り込んでいるときに爆破事件が起こったんだよな」とか率先して墓穴を掘っているじゃないか！

「違うんだ栗山さん！」

「痴話喧嘩はこちらの用件を済ませてからにしてもらえるかい？　我々は君たちのように時間を持て余しているわけじゃないからね」

悲痛な僕の叫びを優男風の査問官は皮肉で制した。しかし虚を突かれて落ち着きを取り戻すと、急速に置かれた状況が最悪なことを理解する。異界士を監視する連中が放課後の部室へ来訪してきたわけで、それはどう考えても由々しき事態にほかならないだろう。もっと直接的な表現を使うなら誰かを罰することが目的なのかもしれない。

「俺としても早く用件を聞かせてもらいたいね」

美貌の異界士が怜悧《れいり》な視線を査問官へ向ける。

「まさか一年以上も経った今頃になって『半妖夢を匿《かくま》うな』とか、くだらない因縁を押し付けるつもりじゃないだろうな？　その件に関しては泉姉から直接協会へ一報入れたはずだぜ」

「そうじゃないさ。最初に都市部で事件が起こったと話しただろう？」

横道に逸れた所為で失念していたが、その話題が修羅場を招いたのである。しかし先日の事件に発端するなら博臣の憶測は杞憂だろう。優男風の査問官は端的に概要を述べていく。

「すでに得ている情報もあるかもしれないが順番に話すとしよう。まず爆破事件を起こした実行犯は峰岸舞耶という異界士だ。最近は『白銀の狂犬』なんて二つ名まで付いているが、異界士としての技量はかなり低く、銃火器を所持する以前の評価は全項目で最低基準だったらしい。ところが今や追跡していた査問官を返り討ちに遭わせられる腕前だ」

説明を聞いた博臣は「ふむ」と相槌を打つ。なにも知らない美月は査問官が返り討ちに遭わされるという証言に驚きを隠せない様子だった。

「しかし今日ここへ訪れた理由は『白銀の狂犬』と別にある」

どうやら峰岸舞耶についての事情聴取という線もここで消えたらしい。身に覚えのある僕としては胸を撫で下ろしたいのだが、部室内の空気は依然として息苦しさを維持している。まるで催眠術でもかけられたように誰も口を挟まず藤真弥勒の言葉に耳を傾けていた。

「爆破事件の被害者に真城一族の幹部が含まれていてね。監察室としては現在行方不明中の真城優斗がなにかしら関与している可能性を捨て切れていない」

視線を移すと小柄な少女は表情を曇らせていた。どうしてこう最悪の巡り合わせばかり発生するのだろう。僕は馬鹿げた回答が繰り出される前に機先《きせん》を制した。

「真城優斗が怪しいから幼馴染みの栗山未来も捕まえておけなんて暴論を持ち出すつもりじゃありませんよね？」

「そこまで異界士協会は短絡的じゃない――と言いたいところだが似たようなものだな。いくつか確認したいことがあるので栗山未来の身柄を拘束させてもらう」

「質問があるなら今ここで済ませればいいじゃないですか！」

「アッキー、査問官は異界士専門の警察みたいなものなんだよ。一度決定されたら一筋縄ではいかない。それになんの確証もなしに動いているとは考えられないからな」

荒ぶる僕を美貌の異界士は冷静に宥《なだ》めた。しかし美月が博臣の言葉を引き継ぐ。普段嫌になるくらい口で泣かされているだけに、味方となればこれほど心強い存在もいない。

「拘束に関する正当な理由を聞かせてもらってもいいですか？」

「栗山未来は数日前に真城優斗と接触している。それにも関わらず協会から指名手配されている異界士を見逃した。以上の事実から重要参考人に助けを求められた場合、規則違反と知りながら荷担する可能性が極めて高い」

「推測だけで身柄を拘束するつもりですか？」

「おそらくそれだけの事実関係なら我々も動かなかっただろう。しかし栗山未来と真城優斗は随分と深い間柄みたいじゃないか？　少なくとも『ほかに頼る当てがない』と頼み込まれたら匿ってしまう程度にはね」

優男風の査問官は小柄な少女を一瞥する。どうして世界は眼鏡の似合う後輩女子に試練ばかり与えるのだろうか？　まだ癒えていないどころか永遠に残るかもしれない心の傷に、一切の配慮もなく、ただ伽藍堂《がらんどう》の大義名分だけを掲げて踏み込んでくる。

「栗山さんは真城優斗を匿ったりしない」

無意識的に僕は反論の言葉を口にしていた。

ふんと鼻先で笑いながら優男風の査問官は肩をすくめる。

「根拠は？」

「真城優斗が犯人ではないと信じているからだ」

「我々の使命は危険性の排除だからね。友情ごっこを参考にするわけにはいかない。そもそも君は異界士じゃないだろう？　協会の規則も知らない素人に意見されても困るよ」

わかっていたことだが、あっさりと却下される。しかし玄人である異界士に火を点ける効果くらいはあったらしい。専門的なことは専門家に任せるべきなら、討論もまた論客に一任するべきなのだろう。

「それなら尚更今回の判断には納得がいかないわ。隠匿や隠避の可能性だけで捕まえる規則なんて聞いたことがないもの。もし強制的に身柄拘束を執行するつもりなら、こちらも協会へ訴え出させてもらいますよ？」

美月の発言を受けて和装の査問官が刀の柄《つか》に手をかけた。意図しなくとも部室に緊張の糸が張り巡らされていく。一瞬が数分にも感じられる異様な時間の中で、藤真弥勒の怒号と名瀬博臣の指示が重なる。

「下がれ美月！」

「逸《はや》るな右京！」

二つの号砲が一触即発の雰囲気を鎮静させる。

和装の査問官が柄から手を離すのを見届けて、美貌の異界士は大きく安堵の息を漏らした。一連の騒動を目の当たりにしても、黒装束の少女はまったく動じていない。見慣れた光景なのか感情の起伏がないのか判然としなかった。

「気性の荒い部下で申し訳ないね。我々としても名瀬と事を構えるつもりはないし、妹さんの非礼も水に流す方向で進めたい。一個人ではなく名瀬幹部としての意見を聞かせてくれないか博臣くん？」

「友好的な意見と好戦的な意見がある。まずはどちらから聞きたいか教えてくれないか？」

「では前者から聞くとしよう」

「扱いに困る身内を持つと大変ですね。今回の件は互いに早く忘れるとしましょう」

「後者は？」

「美月に牙を向けるなら全面戦争だ。檻の中から無事に出られると思うなよ」

声は穏やかだが死神でも宿したかのような邪悪な瞳が標的を睨む。

「だからそうならないための話し合いだろう？」

冗談抜きの本音に優男風の査問官は嘆息を漏らした。無関係の僕でさえ萎縮《いしゅく》してしまう覇気を真っ向から受けて、よくもまあ平然としていられるものだと感心してしまう。

「しかしどうやら噂は本当だったらしい」

「噂？」

「名瀬泉が査問官にならなかったのは、君が不安要素だからというものさ。僕の記憶が確かなら『人望も厚く支持層も多い名瀬博臣は平常時の管理を任せるならこれ以上の逸材は存在しない。ただ非常時に組織より個人を優先するようでは話にならないだろう』だったかな」

「…………」

反論する余地もないのか博臣はただただ沈黙を重ねるだけだった。おそらくそれがすべてを物語っている。付き合いの短い僕でさえ心当たりがあるのだから、付き合いの長い異界士ならそう感じても仕方がない。こいつは名瀬と真城の交わした不可侵条約を無視してまで、僕と栗山さんを影ながら援護してくれた大馬鹿野郎だ。

なによりも組織の利益を優先する名瀬泉に比べて、眼前で沈黙している美貌の異界士は甘過ぎるのかもしれない。重々しい状況の中で最初に口を開いたのは栗山さんだった。

「あの……私が同行に応じれば済む話ですよね？」

「もちろん」

栗山さんの提案に藤真弥勒は鷹揚に首肯する。

しかしそれでも僕は声をかけずにはいられなかった。

「栗山さん」

「事件に優斗が無関係だと証明されるまでのことですから心配いりません」

「ちょっと待って！　本当にこんな拘束理由が成立するの？」

黒髪の少女は険しい面持ちで査問官を断罪する。

「本人の許可があれば強制ではなく任意だからね」

「無茶苦茶だわ！　兄貴も黙ってないでなにか言い返しなさいよ！」

「美月、任意ならどうしようもない」

「はあ？　これが任意なら『殴らないでやるから金を出せ』が成立するわよ」

「とにかく落ち着くんだ」

「こちらの任務は栗山未来の身柄確保だからね。そろそろ退室させてもらうよ。痴話喧嘩に最後まで付き合えるほど時間を持て余していないからね」

三人の査問官は小柄な少女を連れて部室を出ていく。部屋に残された僕は呆然と扉を見つめることしかできなかった。しばらくして美月が頭の中で整理したのであろう持論を展開する。

「わざわざ無関係の栗山さんに手が及ぶなんて、協会は峰岸舞耶の確保に相当焦っているわよね。本人を捕まえられないから黒幕ないし共犯者を落とそうとしている。こんな状況で協会に身柄拘束を許したら、栗山さん、どんなことをされるかわからないわよ」

「なん……だと？」

僕は地底の奥から発せられたような渇いた声を絞り出した。黒髪の少女は規定事項のように言葉を連ねる。

「あくまで予防措置みたいな優しい口振りだったけど、連中は栗山さんが真城優斗と連絡可能と考えているかもしれない。任意とはいえ調査が始まれば、外部に情報の漏れない密室で、口を割ろうとするでしょうね」

「…………」

「おそらく秋人が考えているより何倍も過酷よ。楽になりたくて嘘の供述を余儀なくされるかもしれないし、場合によっては真城優斗を誘《おび》き出す餌にされるかもしれない」

それを聞いて目の前が暗転した。

椅子に四肢を縛られ身動きの取れない栗山さんに対して、卑猥な笑みを浮かべた査問官は机の上に眼鏡を並べていく。首を振りながら嫌がる少女の声を無視して、連中は冴えない眼鏡をかけてほくそ笑む。しかも長時間に及ぶ陵辱映像はすべて保存されるかもしれない。

「排泄《はいせつ》を我慢させられたり怒号を浴びせられたりするかもしれないわ」

「眼鏡を……眼鏡を……眼鏡をあれしながら……排泄も我慢させたり……怒号を浴びせたりするなんて……そんなのもう悪魔の所業じゃないか！」

「秋人、会話の中に眼鏡は登場してないわよ？」

「言い訳なんて聞きたくもない！　栗山さんを救えるのかどうかだけ教えてくれ！」

「アッキーの暴走もここまでくると芸術だな」

「病的な芸術か芸術的な病気かそこが重要だわ」

「確かに……重要かもしれないな」

「ところでお兄ちゃん」

呼びかけながら美月は博臣を見上げる。しかも懇願するように瞳を潤ませていた。

勝負どころで躊躇《ちゅうちょ》なくお兄ちゃんと呼び方を変える辺りが悪女の片鱗《へんりん》を窺《うかが》わせている。

「どんなに頼まれても俺は手を貸せないぞ」

「そんなことは言われなくてもわかっているわよ」

「だったら素直に諦めるんだな」

冷淡に吐き捨てる美貌の上級生に僕は直訴していた。

「頼む博臣！　栗山さんを助けてくれ！」

「秋人、落ち着きなさい」

声を荒げる僕を黒髪の少女は淡々と制した。まるで意思の疎通を終えているかのように、美貌の上級生は今後の流れを大まかに指示する。

「実践形式の異界士裁判を経験しておくことは美月の経験に繋がる。名瀬ではなく一人の異界士として未来ちゃんの身柄拘束に異議申し立てをすればいい。泉姉には『こんな機会は滅多にない』と説得しておくからさ。それと乗りかかった船だから二ノさんへの根回しくらいはしといてやるよ」

言い終えると博臣は荷物を整理して部室を出ていく。美月は鞄の中からタブレット型の端末を取り出した。普段使っているところを見たことがないので、おそらく異界士関連の仕事専用端末なのだろう。

「ちょっと待ってね」

起動させた端末のＵＳＢポートに付属品を差し込む。その先端はカードスロットになっていて、取り出した異界士証を差し込み読み取らせる。

「これで同期している異界士の情報がわかるわ」

その言葉通り画面には異界士証をデータ化したようなものが映し出されていた。黒髪の少女は端末を操作して目的の人物を表示させる。

【氏名】　二ノ宮雫
【性別】　女
【攻撃力】　Ｂ
【防御力】　Ｂ

【耐久力】　B
【瞬発力】　B
【持久力】　B
【精神力】　B
【知力】　B
【霊力】　B
【等級】　B

「んんん、全部B？」

「ああ、これね」

意外そうな顔を向ける僕に黒髪の少女は溜め息を漏らした。

「栗山さんの説明で全体の六割がC評価ということは理解しているでしょう？　Cほどでないにしろ B評価にも上と下ではかなり開きがある。あくまで噂だけど二ノさんの能力値にはAでもおかしくないBが複数あるみたいなのよ。それこそわざとBに調節しているんじゃないかと疑われるくらいにね」

「そんなことをする必要があるのか？」

「A評価が含まれると極端に報酬が跳ね上がるのよね。だから雇い主は限られるし、必然的にもっとも一度雇えば実力はわかるから、報酬額も調整されていくとは思うけどね」

「ふむ」

仕事も似てくる。あの人は物好きだから報酬額より依頼の幅を広げたいんじゃないかしら？

「まあ、そんなことより早くニノさんに連絡を入れないとね」

話を打ち切ると美月はタブレット型端末を操作して文章を作成し始めた。最後に異界士証に示されたシリアル番号のようなものを入力する。送信後に僕を一瞥すると帰り支度をしながら今後の予定を教えてくれた。

「これからニノさんと一緒に異議申し立ての申請をしてくるわ。滞りなく進行すれば、明日にも審議に入れる。どうせ栗山さんのことが心配で授業なんて頭に入らないでしょうから、場所と日時が決定したら秋人にも連絡を入れてあげるから安心して頂戴」

「わかった。恩に着るよ」

結局、この日はこれで解散という流れになった。

日時、五月十五日（火）の午前十時。

場所、異界士協会第八支部。

前日の夜に届いたメールには、必要事項だけが記載されていた。普段の無駄に修飾された長文を見慣れている所為か、なんだか物足りない気もするが、冗談を言えない程度に事態は深刻なのだろう。

朝一で学校に風邪という嘘の報告を済ませた僕は、添付されていた地図に従い異界士協会を目指していた。四日間で三日も遠出をすることになるなんて、そろそろアウトドア派を名乗ってもいいかもしれないな。視界の端に捉えた広大な敷地内に聳《そび》える五階建ての建物には、鉄製の文字で「異界士協会第八支部」と刻印されている。

「妖夢が堂々と進入してきたのは初めてのことだよ」

門扉《もんぴ》を抜けたところで黒装束の少女に声をかけられた。刺繍の施された黒い傘を差す無表情な顔には見覚えがある。これで三度目の対面となる永水桔梗という名の査問官だ。

「後輩の審議が十時から始まるんだ。傍聴できると聞いていたんだけど違うのか?」

「好きにすればいいよ。ボクは無関係な人が紛れ込まないよう門番をしているだけだからね」

「これだけ大きく看板を出していたら、無関係な人が間違えることもないだろ?」

「人は真実じゃなくて信じたいことだけを信じる。異界士を必要としていない人にここは存在しない。でも極稀《ごくまれ》に迷い込んでしまう人がいるんだよ」

異界士を必要としていない人にここは存在しない——理屈では説明の付かないことも納得するしかない。現に僕は新堂彩華《しんどうあやか》が張り巡らせた人払い結界の効果をよく知っている。広大な敷地と巨大な建物を存在しないものと認識させる異界士がいても不思議ではない。

「あのさ」

　邪魔をするわけではないのなら、友好的に接しておくべきだろう。だから僕は調べれば済むことを敢えて質問してみる。

「栗山未来の審議がどこで行われるか知ってたりする？」

「中庭の掲示板に一覧が張り出されているからそれを見ればいいよ。最近は端末で検索することもできるし、それでもわからなければ、近くに常駐している事務員に聞けばいい」

「ありがとう。助かったよ」

　僕は礼を述べて建物へ移動した。それから教えられた通り端末で審議の行われる部屋を検索する。画面の表示に従い今度は二階へ向かう。階段を上り終えたところで思わぬ人物から声をかけられた。

「アッキー」

「こんなところにいて大丈夫なのか？」

　僕は立場上動けないと表明していた博臣に問いかける。

「美月の仕事内容を確認するのも幹部の務めだからな。たまたまそれが未来ちゃんの審議というだけのことさ」

「なんかそういうところ煩わしいな」

「組織なんてどこも似たようなものさ。大人の事情で白が黒になるし、またその逆も大いに考えられる。面子と落としどころを把握することが組織運営の基礎だな」

たった一つしか年齢は変わらないのに、僕と博臣では、まるで子供と大人のような差が存在する。それが組織の幹部として君臨するための胆力《たんりょく》かどうかはわからないが、ただ長く時間を過ごせば過ごすほど情けない気持ちになるのは確かだった。

ふと廊下の壁に背中を預けた背広姿の美女を見かける。いつもと雰囲気が違うような気もするが、具体的にどこがおかしいのか説明はできない。ともあれ栗山さん救出のために一役買ってくれるらしい異界士に挨拶はしておかなければならないだろう。

「ニノさん、本日はよろしくお願いします」

「あら、神原くんと博臣くんじゃない。若い男子が並んで歩く姿も悪くないわね」

「軽口を叩いてる余裕なんてあるのか？　連中がここまで強引な手に出るということは、なんらかの切り札みたいなものがあるんだろう？　わけのわからない不意打ちを食らうのはごめんだぞ」

「たまにはお姉さんを信用しなさいって！　大船に乗ったつもりで盤石鉄板《ばんじゃくてっぱん》の活躍を見届ければいいのよ。本日のラッキーカラーは醤油に頭を突っ込んだような黒色。そして私の補佐役を務めてくれるのは黒髪の美月ちゃん、どう考えても上手く事が運ぶ未来しか想像できないでしょう？　それとも美月ちゃんが急に髪を染めちゃったでファイナルアンサー？」

明らかにニノさんの様子がおかしい。まるで家を出る前に一杯引っかけてきたような挙動不審さである。優れた洞察力を持つ博臣も僕と同様の結論に至ったらしい。

「酔ってるのか？」

「そんなことあるわけないでしょう！」

ぴしゃりと否定されると、それ以上の追及は諦めたらしい。

「わかった。ところで美月は？」

「資料のコピーをお願いしたのよ。もうすぐ戻ってくると思うんだけど、用件は私から伝えたほうがいいかもね。名目上この一件に関して名瀬は無関係なんでしょう？」

「用件なんて特にないよ。見当たらないから心配しただけだ」

美貌の上級生は大袈裟に肩をすくめた。それを聞いた背広姿の美女は溜め息を漏らしながら歩き始める。おそらく博臣の過保護っぷりに辟易しているのだろう。

「ニノさん」

「なによ？」

面倒臭そうにニノさんは首だけ振り返る。博臣は後ろ髪に触れるような仕種を見せた。

「酷い寝癖になってるぞ」

「寝癖？」

跳ねた髪を確認した背広姿の美女は澄ました顔を装う。

「来年流行る予定の髪型だけど知らないの？」

「はあ？」

「なぜなら私が流行らせるからよ」

わけのわからない宣言を残してニノさんは立ち去っていく。僕と博臣は返す言葉も浮かばず呆然と見送ることしかできなかった。

「とりあえず中で待機しよう。ここで立ち尽くしていても始まらないからな」

美貌の異界士に促されて僕は部屋の中へ足を踏み入れた。ずらりと傍聴席が並んでいて、その先に仕切りが用意されている。その奥には長机と椅子の組み合わせが二つ。そして最奥にはほかより高い位置となる査問委員席があった。

「座る場所って決められてるのか？」

「いや、自由席だ」

「それだったら遠慮する必要はないよな」

僕と博臣は傍聴席の最前列を陣取る。審議の内容が微妙なのか時間ぎりぎりになっても空席ばかりだった。間もなく藤真弥勒が入室して左側の長机席に腰を下ろす。反対の右側にはニノさんと美月が着席する。栗山さんは見知らぬ女異界士に付き添われて少し離れた場所に腰を下ろしていた。査問委員席に初老の異界士が現れると書記係らしき青年が宣言する。

「これより二百八十七番の審議を開始します」

ニノさんと美月それから藤真弥勒も立ち上がり初老の査問委員に一礼する。最初に発端から現在に至るまでの事実確認が行われて、その後、拘束理由が不当かどうかという争点が明らかにされていく。

「本件の拘束理由が妥当であることを被告異界士への尋問で証明してみせます」

「代理人、よろしいですか？」

初老の査問委員に促された二ノさんと美月は鷹揚に首肯する。女異界士に連れられて栗山さんは査問委員席に隣接する証人席へ移動した。藤真弥勒は歩きながら質問を始める。テレビドラマでしか観たことのないような法廷劇が幕を開けた。

「あなたが真城優斗と出会ったのはいつ頃でしょうか？」

「小学校へ上がる前だと記憶しています」

「進学することで疎遠になったりしましたか？」

「いえ、中学までは一緒の学校に通っていました」

なんの変哲もない質疑応答が淡々と繰り返される。テレビドラマや映画の法廷劇しか知らない僕にとっては、もっとこう手に汗握るような言葉の応酬があると期待していたわけで、不謹慎ながら酷く退屈に感じてしまう内容だった。

「それは随分と長い付き合いですね。中学まで関係の崩れない幼馴染みなんて、僕の周りには数える程度しかいない」

「話が脱線しています」

ニノさんではなく美月が異議を唱える。初老の査問委員は速やかに判定を下した。

「査問官は要点を絞ってください」

「わかりました」

すると優男風の査問官は一気に核心へ踏み込んできた。

「それでは真城優斗と連絡を取らなくなった時期を教えてください。あなたが今現在重要参考人と無関係だというのなら、長く続いた関係に亀裂の入る出来事があったはずだ」

「それは……」

小柄な少女は言葉を詰まらせる。

二年前に起こった伊波唯《いなみゆい》の死を思い出しているのかもしれない。すべての元凶である真城一族が組織として機能しなくなった今でも、栗山さんの奥底に眠る深い哀しみは未だ癒えることがないのだろう。

「それは？」

「二年くらい前からです」

「具体的な理由を教えてもらっていいですか？　なにがきっかけで二年前から連絡を取らなくなったのですか？」

「………」

完全に沈黙してしまう少女。

居ても立ってもいられなくなった僕は、隣の席に座る博臣の肩を激しく揺すった。感情に任せて「異議で止めるべきなんじゃないか？」とか玄人っぽいことを適当に告げると、美貌の異界士は首を左右に振りながら「査問委員の印象を損なうだけだ」と返してくる。

「ここは未来ちゃん本人の口から真城優斗と切れてることを印象付けないと駄目なんだよ」

「栗山さん……そんなことできるかな？」

想像しただけで僕の思考回路は機能しなくなっていく。

数少ない理解者を、あの心優しい少女が、今は他人ですなんて、言えるわけがない。

「アッキーが考えているより未来ちゃんは強いよ。だからここは男らしく見守っておけ」

まるで見透かしたように博臣は告げる。しばしの間を置いて栗山さんは訥々《とつとつ》と語り始めた。

「二年前、私と優斗の師匠に当たる伊波唯さんが虚ろな影に憑依《ひょうい》されたんです。討伐には成功したのですが……ただ唯さんを救うことは叶いませんでした。その事件が発生して以来、私と優斗の関係も気まずくなりました」

「それはなぜでしょうか？　本来なら師匠の死を悼《いた》む同志として密に連絡を取り合ってもおかしくないはずだ。どうして伊波唯の死をきっかけに疎遠になったんですか？」

「…………」

「どうしました？」

「…………」

「答えてもらわないと困ります」

「それは……私が伊波唯さんを殺したからです」

きっぱりと小柄な少女は明言した。どうしようもできなかった過去を忘れることも胸の奥に潜めておくことも許してもらえない。現実はどこまでも残酷で容赦がなかった。

「これは参りましたね。あなたと真城優斗の関係は伊波唯の死をきっかけに崩壊している」

藤真弥勒は芝居がかった演技でがっくりと肩を落とす。意図はわからないがなにかを期待しての行動なのだろう。ニノさんと美月も査問官の一挙手一投足に注目している。

「ではどうしてまた連絡を取り合う関係になったのでしょうか？」

「関係が元に戻ったわけではありません」

「それでは回答になっていませんよ」

「…………」

「質問を変えます。どちらから連絡を取りましたか？」

「優斗から……仕事の依頼を受けました」

「いつ頃どういう内容の依頼を受けたのですか？」

「時期だけで充分でしょう！」

背広姿の美女が異議を唱えるが、すぐさま優男風の査問官も反論する。

「拘束理由を証明するに当たって必要なことです！」

「質問を認めます」

ニノさんは悔しげな表情を浮かべるが、栗山さんは特に困った様子もなく回答した。

「今年の春先に虚ろな影を討伐してほしいという依頼を受けました」

「二年も音沙汰のなかった真城優斗から連絡があったとき、あなたはなにかしらの違和感を覚えなかったのですか？　しかも仲違《なかたが》いの原因となった虚ろな影の討伐依頼なら尚更だ」

「………………」

そんなことは聞かれるまでもないことだった。あのとき栗山さんは殺される覚悟で引っ越してきたのである。伊波唯の仇を取るために真城優斗は真城幹部への復讐を画策し、なにも知らない少女は自分自身が復讐の対象であると思い込んでいた。

「被告異界士、答えてください」

初老の査問委員が長い沈黙を破る。栗山さんは伏し目がちな顔をゆっくりと上げた。

「私は優斗に殺されるかもしれないと感じていました」

「なぜです？」

「依頼者から虚ろな影の名前を挙げられたとき、復讐に最も都合のいい妖夢だと思ったからです。唯さんと同じ目に遭わせたいならこれ以外に考えられません」

「それは真城優斗の仄暗い怒りは虚ろな影に止まらず、憑依された伊波唯を殺したあなたにも向けられたと？」

「誤解だったと知るまで確かにそう思っていました」

「うーん……そこがよくわからないんですよね。あなたは真城優斗に殺されるかもしれないと考えていた。それなのに虚ろな影の討伐依頼を受けて引っ越してきたんですよね？」

「………………」

素人の僕でも栗山さんの置かれている立場が危ういことを理解し始めていた。真城優斗に命を差し出しても構わないと考えている少女が、かつての幼馴染みに協力を求められたら断れるわけがない。ひたすらに真実を紐解くことで、栗山さんの優しさを示すだけで、可能性の高さを証明されてしまう。

「沈黙は肯定と受け止めて構いませんね？」

回答を待つこともなく藤真弥勒は査問委員に申告する。

「栗山未来の真城優斗に対する依存度は充分に危険水域だと判断できます。爆破事件になんらかの進展があるまで、身柄を保護しておくべきでしょう」

以上で終わりますと添えて優男風の査問官は着席した。

代わりに二ノさんが起立して弁護を開始する。

「自己犠牲と愛情は似て非なるものです。確かに特殊な環境にあった栗山未来は真城優斗に依存していたかもしれません。しかし二人の関係は我々が考えているより遥かに建設的です」

ここで言葉を区切り背広姿の美女は栗山さんに視線を向ける。

「この少女は真城優斗に協力を求められても説得する道を選びます。もしそうでなければ栗山未来はここへ来ることもなかったでしょう」

おそらくそれは真城優斗の誘いに乗り逃避行した場合のことを意味しているのだろう。あのときかけられた「俺と一緒に来るか？」という言葉に対して栗山未来は二人で不幸へ転がり落ちるような選択をしなかった。ずっと待ち侘びていたであろう言葉を——きちんと処理してここへ残ることを決断したのである。

「憶測が過ぎませんか？」

「それを言い出したらそちらもでしょう？」

「こちらは疑わしき可能性を証明すればいいだけですからね」

藤真弥勒の軽口にニノさんは顔を顰《しか》める。しかしそれが現実だった。なぜなら「正直者」を否定することは比較的容易でも、その逆「正直者」を肯定することは困難だからである。否定は嘘を吐いている証拠を一つ挙げれば済むが、肯定は正直な発言をいくつ証拠に挙げても確定しないからだ。

つまり栗山さんが真城優斗に加担しないと証明することは不可能に近い。それに比べて査問官は可能性を証明できれば事が足りる。どちらが不利な状況にあるかは一目瞭然だった。がしがしと髪を掻き乱して背広姿の美女は苛立ちを露にする。

「あなたは愛がコンビニの棚に並んでいると思っていませんか？」

「はい？」

矛先を向けられた優男風の査問官は怪訝《けげん》そうな表情を浮かべる。

「二年間離れていても相手のことを第一に考えられる人もいれば、二年間一緒に暮らしていても、書置き一つ残して跡形もなく消える奴もいるってことです！」

「代理人、要点を整理してください」

「私にも人生設計があるということです！　予定通りなら旦那と肩を並べながら子供の寝顔を見て、それから互いの足を揉み合いっこして、三十歳までに二人目がほしいねなんて話していたんです。家庭も仕事も順風満帆。それなのに現実は一人で酒を煽りながらテレビドラマの展開に愚痴を零してる」

あまりに予想外の展開だったのか初老の査問委員は注意も忘れて鳩が豆鉄砲を食らったような顔をしていた。藤真弥勒も意味不明な独白に目を白黒させている。

「朝目覚めたとき『世界を一周してくる』という書置き一つで捨てられた女の気持ちがわかりますか？　たった一晩でどういう心境の変化よなんて突っ込む余裕もありませんよ？　誰もが羨《うらや》むくらい素敵な男は大抵売約済みだし、たまに掘り出し物を見つけたら同性愛者、独身のいい男なんて存在しないんじゃないかしら？　前回だってそう！　年下の可愛らしい男を見つけたと思ったら、妹しか愛せないとかありえないでしょうが！」

隣席に座る博臣が額を押さえて項垂《うなだ》れる。

「えーっと……代理人……本件から逸脱した発言は控えるようにしてください」

「ちゃんと関連のあることを話しているじゃありませんか！　世の中に存在しないかもしれない愛が栗山未来と真城優斗にはあった。そんな二人が互いに迷惑のかかる隠蔽《いんぺい》や隠匿《いんとく》なんてくだらない真似をするわけがありません。お・わ・か・り？」

絶賛暴走中の二ノさんは査問委員を挑発するように言葉を区切る。

「それ以上の発言は協会侮辱罪を問いますよ？」

「どういうこと——ぐふっ！」

いつの間にか背後へ忍び寄っていた美月は、二ノさんの後頭部へ手刀を加えて強引に座らせた。それから姿勢を正して弁論を引き継ぐ形で再開する。

「二ノ宮氏の発言は協会を侮辱したものではありません。この身柄拘束がどれくらい馬鹿げているかを体現したのです。それをこれから証明していきたいと考えています」

元々顔の造形が整っていることもあって、凛々《りり》しい表情を作り、軽く口角《こうかく》を上げれば知的な印象を与えられる。個人的には縁なしの眼鏡をかけて望んでほしいが、今回は栗山さんの命運がかかっているので自重しておく。美月は長机の上に置かれた紙の束を手に取りながら意見を述べていく。

「資料によると本人が起こした問題ではなく、かつ隠蔽や隠避の可能性を示唆されて身柄を拘束された事案は、ここ十年で千二百五十六件ほど該当があります。そのうち九割は理由開示手続きの段階で解放が決定しています」

　黒髪の少女は資料から顔を上げて査問官を一瞥する。改めて視線を落とすと大袈裟に小首を傾げながら言葉を継ぎ足していく。

「約十年間で実際に拘留された事案は百十二件。ただしこのうち一件の例外を除けば、異界士として立場の弱い者に限られている。反対に即時解放された事案は千百四十四件あるわけですが、その中に等級がDやEに該当する者は僅か十二名しかいません。この偏りが偶然に起こり得る範疇なのかどうか検証して頂ければ、今回の栗山未来に対する拘束が不当であることが証明されるはずです」

　急に査問委員の表情が険しくなる。これは美月個人に対する怒りではなく、そういう風潮があることへの懸念《けねん》だろう。意識的に差別しているつもりはなくても、数字として偏りが表面化すれば、無意識的に差別的な扱いをしていたことを認めざるを得ない。

「幼い頃は姉が持っている物をなんでも欲しがりました。縫《ぬ》い包《ぐる》みも人形も子供用の装飾品まで全部が魅力的で手に入れたかった。愚図《ぐず》る私に姉は結局いつも折れてくれました。しかしあれほど魅力的だった物もしばらく所有すると色褪せてしまうんです。姉の大切な物を奪っておきながら一年も経たないうちに飽きて捨ててしまう。当時の私はその行為に罪悪感すら持っていませんでした」

　ここで美月は言葉を切り査問委員を正面から見据えた。

「それでも過ちとして憶えています。しかしあなたたちは罪悪感どころか記憶にさえ残っていない。査問委員はすべての異界士が公正な判断を受けるために存在するはずですよね？　ところが実情は過去に下された不平等な判決さえ忘れてしまっている」

やれやれという風に黒髪の少女は肩をすくめながら首を左右に振る。

「公平さはどこに？」

初老の査問委員も優男風の査問官も何一つ言い返せないでいた。


「あれでなんとかなるんじゃないかしら？」

控え室に戻った美月は倒れ込むように椅子へ腰を下ろすと深い溜め息を漏らした。それからペットボトルの封を切って烏龍茶を口へ運ぶ。ぐびぐびと勢いよく三分の一くらい飲むと改めて大きな息を吐いた。おそらく傍目から見ている以上に緊張していたのだろう。

「なるだろうな。査問官や査問委員にとって差別的な偏りは絶対に認めたくない懸案《けんあん》だ。おそらく事を有耶無耶《うやむや》にするためにも未来ちゃんを解放して終わりにするだろうさ。しかしあんな短時間でよく調べ上げたな？」

博臣は呆れたように感心していた。しかし黒髪の少女は口を尖らせて反論する。

「調べられるわけないでしょう？　それらしい体裁の書類を利用しただけで、中身は二ノさんが別件で使う予定の資料よ。さっき兄貴も言ってたように差別的な偏りは絶対に判明させたくない事実でしょう？　つまり査問官や査問委員の脳裏に作為的な偏りがある可能性を過《よ》ぎらせれば、私の発言が本当かどうかなんて関係なく栗山さんを解放して終わりにするしかない。もし答え合わせをして知りたくもない真実が出てきたら大変だもの」

「捏《でっ》ち上げだけで査問官と査問委員を出し抜いたのか？」

「その表現は語弊《ごへい》があるでしょう？　もし連中に不公平な審議をしていないという確信があれば、資料の照会や事実確認の申請をすればよかったのよ。そうしたら私の示したような極端な偏りは出て来ないかもしれない」

しれっとした顔で美月は正論を唱える。

それからしばらくして控え室の扉が勢い任せに開いた。

「ひゃっはーっ！　二ノ宮雫、ただいま戻りました」

なんというか無駄に敬礼とか片足を上げたりしている空元気が痛々しい。しかしまあ、大人の女性はいろいろと大変なのだろう。妙な居心地の悪さを感じていると、博臣が「飲み物を買ってくるよ」と言い、上手く部屋の外へ誘導してくれた。道中で美貌の異界士はニノさんを庇うような発言をする。

「あれだけの美貌で異界士としての腕も一流だからな。それなりの地位や肩書きがなければニノさんの眼鏡に適わないだろうし、それらを充たしている連中は自尊心を拗《こじ》らせてるから女に劣る部分があると許せない。つまりすべての面においてニノさんを上回る完璧な男か、相当に寛容な男が現れない限り恋愛成就は難しいだろうな」

「ニノさんって地位とか肩書きに拘《こだわ》る性格なのか？」

「容姿や収入で相手を見下したりはしないさ。ただ本能的に釣り合わない関係は長く持たないと感じているんじゃないか？　ニノさんは互いを高められるような存在が好きそうだからな。それにある程度は選別しないと言い寄る男が多過ぎるんじゃないか？」

「羨ましい話だよ。でもまあ、美人だもんな」

「アッキーが非眼鏡女子を褒めるなんて珍しいじゃないか？」

「別に美的感覚がおかしいわけじゃないからな。美月のことだって綺麗とか可愛いとか普通に言ってるだろ？　あと年齢的にニノさんは女子に分類していいのか？」

「男絡みで一喜一憂しているうちは女子でいいんじゃないか？　本人名義でマイホームのローンを組み始めたら卒業かもしれないけどな」

　ドラマや小説の受け売りみたいな会話をこなしながら自動販売機で飲み物を購入する。再び控え室前へ戻ると中の声が漏れ聞こえてきた。先行していた博臣が唇にそっと人差し指を押し当て「静かに」という合図を送ってくる。

「しっかりしてください！」

「美月ちゃんも大きくなったらわかるわよ。どうして異界士には失恋休暇がないのかしら？」

「いや、普通そんなものありませんよ」

「なんですって？」

信じられないといった感じの声が室内に木霊《こだま》する。

「ニノさんも迷走戦隊マヨウンジャーを観てるんですか？」

「マヨウンジャー？　そんなの知らないわよ。週末の朝にでもやってるの？」

「いえ、深夜アニメです」

「……特撮じゃないのね」

うわ、テンションの低い切り返しだな。

「その中に登場するイエローの口癖が『なんですって？』で、ニノさんみたいに美人で社会的に成功している女性なんです。マヨウンジャーの中でイエローが一番好きなんですけど、ひょっとしたらニノさんと重ねていたのかもしれませんね」

「励ましてくれるのはありがたいんだけど、男なんて所詮女子高生にしか興味がないのよ」

音声だけ聴くと拗《す》ねる大人の女性というのも悪くはないな。

「それは偏見じゃないですか？」

「まさか女子中学以上は興味なし？」

「違います。どうして年齢を下げるんですか？」

身も心も凍結しそうな冷ややかな突っ込みだった。

「美月ちゃん、ちょっと怖い。傷心しているときくらい優しくしてよ」

「公私混同するような異界士のことなんて知りません」

そこで妙な間が空く。どうやら携帯に着信があったらしい。

「はい。ああ、泉さん？」

ニノさんの口から不吉な名前が紡がれる。

「エグゼクティブだけの合コンですか？　ふむふむ……ええ……まあ……うーん。いやいや、明日の夜？　急過ぎませんか？　ああ……でも私……結構面食いですよ？　年齢層高いのも苦手ですし……またまた……ええっ！　ないないない、それ絶対に嘘ですよね？　ちょっと待った、行きます行きます！　ああ……彼氏ですか？　あんな奴こっちからぽいぽいっと捨てちゃいましたよ。なんか元気がないように感じた？　私がですか？　あはは、そんなことあるわけないじゃないですか！　わかりました。それじゃあ、明日の夜、楽しみにしてます」

通話を終えるが早いか内側から扉が開いた。身体を寄せていた僕と博臣は必然的に部屋の中へ倒れ込む。しかし背広姿の美女は気にする様子もない。

「ちょっと電話してくるだけだから飲み物は残しておいてね」

ばちんと片目を閉じてニノさんは意気揚々と部屋を出ていく。ふらりと立ち上がりながら美貌の異界士は黒髪の少女に視線を向ける。

「どういうことだ？」

「ニノさんが緊急事態って泉姉さんに連絡したのよ。そしたら『本人に直接電話するから放っておきなさい』って言われて、なんだかよくわからないのだけど、とりあえずあの様子を見る限り危機的な状況は乗り越えたみたいね」

「しかし泉さんはなんでもお見通しだな」

やれやれという風に僕は肩をすくめた。

「よく二人で女子会に参加してるから長所も短所も知り尽くしているんじゃないかしら？」

「おお……それは意外だな。泉さん孤高の女帝という印象だから、誰かと連《つる》むなんて想像してなかったよ」

「そんなことより盗み聞きは感心しないわね」

「弁明くらいさせてくれよな」

「失敗したら罰を与えるわよ」

この嫌な予感しかしない流れはなんだろうな。

「死ねとか栗山さんの眼鏡を外すとかはなしだぞ」

「その死と眼鏡を同列に扱う思考なんとかならないのかしら？」

「眼鏡の存在しない世界なんて死んでいるも同然だろ？」

美月は路傍に捨てられた犬の糞を眺めるような視線を送りながらも首肯する。

「わかりました。眼鏡を外す以外ならいいんでしょう？」

「やっぱり眼鏡を外すつもりだったのか！」

とんでもない悪女である。それからしばらく顎に指を添えて考え込む黒髪の少女だった。

「栗山さんに『上から九十五、五十二、七十八です』と言わせるのはどうかしら？」

「どれだけ激しく跳んでも微動だにしない栗山さんの胸になんて仕打ちをするんだ！　というかその悪魔的発想はどこから生まれるんだよ！」

「私より酷い発言をしているけど大丈夫なの？　あんな断崖絶壁登山の専門家でも攻略できないなんて栗山さんが聞いたら大変よ」

「そんなこと一言も口にしてねえよ！」

とはいえ似たような発言をしていたので反省する。しかし馬鹿な会話が飛び交うということは、それだけ置かれた状況が緩和されたからだろう。

「査問委員が戻りましたので審議室へどうぞ」

十五分程度経過したところで書記係が呼び出しにきた。

「この早さなら未来ちゃんの解放を即決したってところだな」

「そんな楽観的に構えて大丈夫なのか？」

不安を口にする僕に黒髪の少女が解説する。

「被告異界士に不利益な結果の場合は熟慮するけど、そうでない場合は早く結果が出るのが通例なのよ。特に今回のような場合は身柄拘束決定ならこんなに早く結果なんて出ない」

「そうか……それなら大丈夫そうだな」

「ニノさんも立ち直ったみたいだし、無事一件落着というところかしらね」

三人で控え室を出て審議室へ向かう。到着したあとはそれぞれ前回と同じ場所に着席して結果を待つことになった。初老の査問委員が重々しい口を開こうとする直前に藤真弥勒が立ち上がる。

「じっくりと吟味した結果、証拠資料の事実確認を申請します」

予想していなかった最悪の結果が室内の空気を淀ませていく。

第三章

電車を乗り継いで僕は単身住み慣れた地元を目指していた。どうにもならない現状を打開するために指南役のところへ向かっているわけだが、ほんの少しだけ情報整理を兼ねて控え室での出来事を振り返っておこう。

「一体どうなってるのよ！」

「俺に当たられても困る」

慌しく控え室に戻ってきた美月は感情を吐き出しながら博臣に詰め寄っていた。

「午後二時の審議再開までに都合のいい資料なんて作成できないわよ」

「頼みの綱があれだからな」

美貌の上級生は部屋の片隅で三角座りしている美女を見据えた。状況が切羽詰っているからなのか、いつものような軽薄さは窺えない。本気で困っているなら僕にも一つ提案があった。

「そっちはそっちで名案を考えてくれ。僕は僕で動いてみるよ」

「一体なにをするつもりだ？」

「こういうとき頼りになる異界士を知っているんだよ」

とまあ、半ば強引に居心地の悪い場所から逃げ出してきたのである。

閑静な住宅街の中に佇む和菓子店。人払いの結界が張られているため、足を踏み入れる者はいない。もしここへ訪れることができたとしたら、それは決して喜ばしいことではなく、異界士の助けを必要としている証拠だ。なにもない平穏な暮らしをしている限り、ここへ辿り着く可能性は皆無に等しいし、それこそが本人も自覚していない幸せなのである。

「彩華、一大事だ！」

店内へ踏み込むなり僕は呼び鈴を連打した。もちろんそんなことで女店主の行動が倍速になるとは思っていないが、これはもう取り乱しているときのお約束と理解してもらうしかない。しばらくしても返事がないので、僕は奥にある和室へ無断で押しかける。

「彩華……誰もいない？」

開店休業中みたいな状態なので、営業時間に留守でも不思議ではない。しかし僕の中には違和感しかなかった。なぜなら新堂彩華はこれまで僕の訪問時に不在だったことが一度もないからである。事前連絡を入れなくても見透かしたように店の中にいた。今までが単なる偶然だったのか、あるいは今日が異常なのか判然としない。ただ一つだけ言わせてもらえるなら「どうして今なんだよ」という理不尽な憤りがすべてだった。

僕は和室を隈なく見回したあと店内へ戻る。焦っても仕方がないことは重々承知だが、美月や博臣の反応から鑑みて、栗山さんの身に降りかかっていることも異常なのだ。これ以上おかしなことが起こる前に手を打ちたい。

「ん？」

開け放しにしていた扉の外に黒装束の少女が姿を現した。刺繍の施された黒い傘を差したまま
こちらを見据えている。どうしてここにいるかは重要ではなく、問題はどうしてここを訪れたかである。異界士を取り締まる査問官という立場が僕の中にある嫌な予感を増長させていた。

「店主なら不在だけど、なにか知らないかな？」

「知っている」

抑揚のない声で黒装束の少女は肯定した。

「今どこに？」

「ほかの査問官が協会へ連行しているよ。ボクもそのまま職場へ帰る予定だったけど、途中でキミを見つけた所為で追跡を命じられたんだ」

言葉だけ聞くと面倒臭いという嫌味が含まれている感じだが、黒装束の少女は顔色一つ変えないので真意はよくわからない。ともかく引き出せる情報が多少でもあるなら、出し惜しみなく吐き出してもらうべきだろう。

「どうして協会に連れていかれたんだ？」

「新堂彩華は指名手配中の神原弥生《かんばらやよい》を一時的とはいえ召喚している。もし今現在も連絡手段を持っているなら大問題だよ」

「なっ！」

すぐに切り返すことができなかった。身体が硬直して思考も正常に働かない。虚ろな影を討伐するために彩華は僕の母を呼び寄せている。どんな方法を用いたのかは不明だが、確かにそんな手段があるなら危うい。長年追いかけて捕まえることのできなかった異界士を、場合によっては簡単に捕獲できるかもしれないのだから。

「も……もし今も召喚できるとしたらどうなんだ？」

「召喚は呼び出される側の同意がなければ無理だから、あくまで問題は連絡手段を持っているかどうかだよ」

「それじゃあ、もし連絡可能だとしたら？」

「消極的とはいえ指名手配中の異界士を隠避《いんぴ》することは大罪なんだ。例えば囮《おとり》として神原弥生の確保に協力するとか、交換条件を飲まないと厳しい判断を下されるだろうね」

だとしたら僕は大切な二人のどちらかを失うことになる。もちろん直ちに殺されるような罪じゃないだろうが、母が捕まるにしても彩華が罰を受けるにしても穏やかな話ではない。

「教えてくれてありがとう」

僕は解放された栗山さんに渡すつもりだったグミチョコを少女にあげる。

「お菓子でボクを買収しようとしても無駄だよ」

「いろいろ教えてくれた礼だから気にしないで受け取ってくれ。ともかく僕は仲間を待たせてるから協会へ戻るよ」

店を出ようとした僕の腕を黒装束の少女が掴む。これまでの的確かつ友好的な情報提供からして、僕を足止めするために戻ってきたとは考え難い。なにかしら用を果たすために引き留めたのだろう。

「どうした？」

「ボクも協会へ戻る」

もぐもぐとグミチョコを頬張りながら永水桔梗は用件を口にする。

「一緒に行こうってことか？」

「そう」

逸早く異界士協会へ戻りたい僕だったが、世話になった査問官を無碍《むげ》にするわけにもいかない。不承不承《ふしょうぶしょう》肯定すると黒装束の少女は軽く地面を蹴り飛び跳ねる。直後に腕を掴まれていた僕の身体が引き上げられるようにして宙に浮かぶ。空を飛ぶというより無重力の空間を浮遊しているような感覚だった。

「走るより速いからね」

「それはそうかもしれないけど、ちょっと目立ち過ぎじゃないか？」

「新堂彩華の張り巡らせた結界があるから大丈夫だよ」

黒装束の少女は相変わらず抑揚のない声で端的に告げる。悪い子ではなさそうだが、変わり者には違いない。とはいえ風船のように空へ浮かんでいくことより世間の目を気にしている僕も大概変な奴なのだろう。

「やれやれ……参ったな」

中空を舞っていても眼下の景色を一望する気にはなれない。助っ人を頼もうとした彩華まで協会へ連行されているなんて、つまり余計な厄介事を抱えて戻るわけで、美月や博臣にどう説明するか考えるだけで頭が痛くなった。

異界士協会第八支部の屋上に着地した僕は、黒装束の査問官に礼を述べてから控え室を目指す。扉を開けて中へ踏み込むと、三つの人影が立ち話をしている。しかし名瀬兄妹と二ノさんの組み合わせではなく、名瀬兄妹と藤真弥勒という見慣れない光景だった。

「どういう……ことだ？」

「取り引きを持ちかけられたのよ」

僕の疑問に美月が答える。しかし優男風の査問官はすぐに訂正した。

「そういう言い方をされると困るな。そちらの代表はあくまで二ノ宮雫だ。もし取り引きを持ちかけるなら僕は話す相手を間違えたことになる」

「ここで話したことは外部に漏れない。その代わり建前ではなく本音で語ってもらうぞ」

ふと視線を移すと博臣が中空に四角形を描いていた。次の瞬間、奇妙な感覚が僕の胸を締め付ける。まるで継ぎ目を完全に溶接した金属製の箱の中に閉じ込められたような圧迫感。あるいは外部から完全に切り離されたような疎外感だ。

これまでに何度も体験した他の追随を許さない干渉結界の完全上位互換「檻《おり》」である。空間を得体の知れない力で制御して、そこに不可視の干渉結界を作り出す異能力だ。

「部外者が紛れ込んでいるのはどういうことだろう？」

「アッキーはいない者として考えてくれないか？　情報が漏れたところでなにかできるわけでもないからな。それにあの様子じゃ当てにしていた誰かさんも駄目だったらしい」

ぐうの音も出ない。美貌の上級生は僕の心情を完璧に読み取っていた。

「隠しても仕方がないから正直に言うけどさ。頼りにしていた異界士もここへ連行されているらしいんだよ。どうも外堀から埋められているような感じがして、栗山さんの件も含めて嫌な予感しかしないんだよな」

「秋人の話を聞いているとニノさんの破局さえ仕組まれた罠みたいに感じるわね」

冷ややかな視線を向けられた藤真弥勒は盛大に肩をすくめる。

「仮に男女二人を別れさせる方向へ持っていくとしても、それを今日の朝に限定するとなれば不可能だよ。残念ながら人の感情は計画通りに動いてくれないからね」

ここまで真顔を貫いていた優男風の査問官はどういうわけか唐突に吹き出した。

「しかしいつも能面な査問委員が表情を崩したときは笑ったよ。二ノ宮雫さんだっけ？　あれだけ綺麗で愉快な方だから、すぐに次の人が見つかるだろうね。査問官は不可みたいな縛りがなければ僕も立候補しておこうかな？」

「そろそろ本題を聞かせてもらっていいか？」

壁に背中を預けた博臣は腕を組みながら告げる。確かに檻で隔離した空間で他愛ない世間話をしていても仕方がない。優男風の査問官も同意らしく手短に交渉を進めた。

「峰岸舞耶を確保してほしい」

「唐突な展開には慣れているつもりだったが、今回ばかりは得心《とくしん》のいかないことが多過ぎる。わざわざ未来ちゃんを餌にしてまで名瀬に頼むような仕事じゃないだろ？」

「当初は監察室の誰もがそう考えていた。その結果がこの有様さ。僕を含めて確保に向かった査問官全員が峰岸舞耶を舐めていたんだよ」

美月が僕の傍らに歩み寄り耳打ちしてくる。

「ここへ連行された知り合いの異界士は大丈夫なの？」

「わからない」

まるで状況が把握できていない。爆破事件で死亡した真城幹部のことも、妙な容疑で拘束された栗山さんのことも、僕に協力した所為で捕まった彩華のことも、今こうして藤真弥勒が目の前にいることもだ。

「君も名瀬の幹部なら協会や査問官の編成くらい知っているだろ？」

「もちろんだ」

「それなら名瀬泉が査問官への登用を拒否したことも記憶に新しいだろう？　つまり協会は一

異界士に面子を潰されたわけだよ。ゆえに頭の固い上層部の連中は正式な形で名瀬に峰岸舞耶確保を依頼したくない状況なのさ」

「それで栗山さんを担保にするなんて短絡的過ぎるだろ？」

「確かにね」

藤真弥勒はわざとらしく溜め息を吐いた。それから言い訳をするように弁明を始める。

「上は期限と予算だけ決めてあとは『なんとかしろ』の丸投げだからね。それを任された中間管理職の厳しい現実は涙を誘うよ？」

「そんな話はどうでもいい。本当に協会の都合で未来ちゃんを利用したのか？」

「否定できないところが辛いね」

「ちょっと待って頂戴。協会の面子を守るためにこんな回りくどいことをしたわけ？　こんな言い方はしたくないけど正気の沙汰じゃないわよ」

今度は黒髪の少女が藤真弥勒に詰め寄る。

「正直なところ今回の一件に関しては、僕も承服できないことが数多くあってね。理由開示を拒むつもりはない。そのために檻で隔離された空間を生み出してもらったわけだからね。ただし改めて確認させてもらうけど一切他言無用で頼むよ？」

「もちろんだわ」

美月の返答を受けて優男風の査問官は椅子に腰を下ろした。懐から煙草と携帯用灰皿を取り出して喫煙の許可を求める。黒髪の少女は露骨に嫌な顔をしながらも肯定した。藤真弥勒は口に挟んだ煙草に火を点けて紫煙を燻《くゆ》らせる。

「まず初めに協会は峰岸舞耶の異能力を軽視していた事実がある。報告を受けて派遣した査問官二人が返り討ちに遭わされた話は聞いているだろ？　慌てて多数の異界士を追加投入したが今現在も確保には至っていない。ただ有力な情報がいくつか手に入ったことも事実だ」

「その情報とやらがこんな回りくどい方法を用いてまで名瀬に依頼する理由か？」

「概ね正解だ。まずはこの映像を確認してほしい」

藤真弥勒は用意したノート型パソコンの画面をこちらへ向ける。映し出された場面は峰岸舞耶と異界士による戦闘だった。結果はわかっていても迫力のある攻防には手に汗を握る。

「注目してほしいところはここだ」

白銀髪の少女が視線と真逆の方向から仕掛けてきた異界士へ発砲する場面だった。まるで左手が自動的に拳銃を構えて引き金を絞っている。それを察知して峰岸舞耶は身体を捻り右手の拳銃で攻撃を追加していた。

「次はここ」

後方から襲いかかる異界士に白銀髪の少女は見事な延髄《えんずい》蹴《げ》りを放つ。倒れた男に素早く銃口を向けるが、気絶を確認すると移動を開始した。道中で鉢合わせた女異界士には、下段蹴りを決めてから首筋へ一閃。

「ここも重要だ」

不意に天井へ突き上げられた峰岸舞耶の右手が拳銃の引き金を絞る。苦鳴を漏らしながら銃弾を受けた異界士が落下。白銀髪の少女は手早く銃口を向けるが、戦意喪失を認めると拳銃を下げて駆け出した。

「それとここだな」

壁に背中を預けた峰岸舞耶の姿が映る。回転式拳銃の空薬莢を排出して、専用器具で六発を一括装填した。それを帯革に差し込むと白銀髪の少女は移動を開始する。

「気になることがあれば質問してくれて構わない」

一通り映像を見終えると藤真弥勒は質問を受け始めた。神妙な面持ちの博臣が疑問を口にする。僕の役目は二人の会話を聞き逃さないことだけだった。

「いくつか異質な攻撃があるな。まるで無意識に身体が動いているような……これは峰岸舞耶の異能力に関係しているのか？」

「無意識に反撃するなんて反則じゃない」

「いや、これは反撃じゃない。攻撃に合わせて迎え撃つなら矛盾している場面があるからな」

妹の間違いを兄はやんわりと否定する。優男風の査問官が映像の分析を披露した。

「まず最初の場面。峰岸舞耶の左手が本人の意思と関係なく拳銃を構えて引き金を絞っているように見えるだろ？　しかし第二射は明らかに意識的に発砲している。もし絶対的な反撃が可能なら必要のない動きだ。次の場面。発砲ではなく蹴撃で仕留めているわけだが、これも無自覚で放った一撃だと推測される」

藤真弥勒は吸い終えた煙草を携帯用灰皿へ押し込む。

「特殊な攻撃は三挺の拳銃に依存していないし、装填された弾丸は使い切れば補充を要するらしい。この二点から銃そのものが異能力によって具現化されたものではないと推測可能だ」

「情報があるなら出し惜しみするなよ。査問官は俺たちと違って時間がないんだろ？」

しばしの沈黙が訪れる。

これは回答を渋っているわけではなく、緊張を高めるための儀式みたいなものだろう。

「峰岸舞耶の異能力は――どんな状況でも先の先を取れる」

「なによそれ？」

黒髪の少女は怪訝そうな表情を浮かべた。

「言葉通りの異能力さ。誰も峰岸舞耶から先制攻撃を取ることはできない」

「つまりそれって？」

「不可思議な攻撃はすべて擬似的に峰岸舞耶の先制攻撃を演出しているのさ。それにより捕捉した敵へ第二第三の攻撃を加えている。異能力発動時以外の射撃や身のこなしは本人の訓練によるものだろうが、ともかく峰岸舞耶の持つ異能力と拳銃という組み合わせが最悪過ぎた」

「それが協会の低評価に繋がるのかもしれないな」

「どういうことよ?」

訝しがる美月に博臣は解説する。

「拳銃を入手する前は背後から襲えば不意打ちという形で思わぬ肘打ちや後ろ蹴りを食らわされるくらいだろうし、なにも考えず正面から攻撃したとしても弱々しい拳が繰り出される程度だったと推測可能だろ? しかし今はどこから仕掛けても超高速の弾丸が飛んでくる。正直なところ協会は『先制攻撃』という特性を不当に低く評価していたんだよ」

「正確な分析をありがとう。そこまでわかっているなら弱点も発見したんじゃないかい?」

「弱点?」

僕と美月の声が綺麗に重なる。どちらともなく顔を合わせてそれから視線を伏せた。

やはり専門的なことは専門家に任せるべきなのだろう。

「峰岸舞耶の異能力は反撃ではなく、あくまで先制攻撃にほかならない。つまり戦闘が中断されない限り先制攻撃は一度しか発動しないんだろ?」

「ご名答。峰岸舞耶の異能力に対して檻は抜群に相性がいい」

意図を理解した僕はふと口を挟んでしまう。

「檻で防御を固めて正面から攻めるわけか? 一度攻撃を凌《しの》げば異能力は発動しないし、第二第三の攻撃も檻なら簡単に防げる」

「平たく言えばそういうことになるね」

名瀬に任せれば楽な仕事だが協力要請を出すわけにはいかない。そこで協会側は名瀬が自主的に狂犬狩りを引き受ける環境を作り出す必要があった。しかしその前段階として異界士裁判まで持ち込むなんて只事ではない。

「本当に協会の対面を保つためだけに栗山さんや彩華を拘束したんですか？」

「念のために言っておくが不当な身柄拘束ではないよ。真城優斗が再び栗山未来に接触する可能性は否定できないし、新堂彩華に至っては神原弥生を転移の法で召喚しているんだからね」

「しかしその理屈ならまず神原弥生の息子である僕を捕まえるべきでしょう？」

「君が両親への連絡手段を持っていないことは把握しているし、そもそも監察室は悪質な異界士を取り締まる組織だからね。妖夢や妖夢憑きだけでなく半妖夢の扱いも異界士の仕事で我々の管轄外というわけさ」

「…………」

「それに新堂彩華は栗山未来と事情が異なる。どれだけ優秀な代理人を用意したところで即時解放はありえない。仕事で動いている以上、我々も二の矢は欠かせないからね」

「つまり名瀬との交渉が決裂したら彩華に交換条件を持ち込むつもりだったと？」

「それは最悪の場合だよ。理想は両者に快諾してもらうことだからね」

「…………」

僕は美月と博臣を交互に見やる。先に反応したのは黒髪の少女だった。

「私は構わないけど……お兄ちゃんは？」

「ここで手を引くわけにもいかないだろ。それに監察室より先に峰岸舞耶を捕まえたという功績は名瀬にとっても悪くない」

「ありがたい判断だ。ところで博臣くんは査問官になるつもりはあるのかい？」

「見返りのつもりなら不要な提案だ。推薦可能な二十歳までに実力で候補になりたいからな」

「ちょっと……本気なの？」

「別に驚くようなことじゃないだろう？」

飄々《ひょうひょう》とした美貌の異界士に美月はなにも言い返さない。沈黙が場の雰囲気を重くしていく。悪化する状況を危惧したのか博臣は語を継ぎ足した。

「立候補すれば誰でもなれるような役職じゃないんだ。もし協会が俺を推薦してくれるなら喜んで引き受けるべきだろ？　もちろん今すぐ査問官になれるわけじゃないし、なるならなるできちんと筋は通すつもりだ」

「兄貴……家はどうするのよ？」

「名瀬の幹部に居残っていれば将来的に組織の二番手は磐石だろう。ただ約束された地位に甘んじている俺を美月は誇れるのか？　俺は兄として頂点に立つ姿を妹に見てもらいたいんだ。資質で泉姉に敵わないなら経験で乗り越えるしかないだろ？」

「…………」

「とりあえず口約束だけでなく書面で内容を確認していいかな？」

空気を読まない藤真弥勒の一言で事態は進展する。

「兄貴は無謀と知りながらも名瀬の頂点を目指してる」

書面を交わす査問官と博臣を控え室に残して、僕と美月は一足先に栗山さんの元へ向かっていた。その途中で黒髪の少女は深刻な表情を浮かべる。

「それに比べて私は名瀬の直系一族なのに三番手として認められる自信もない。本当にいろいろなことが起こり過ぎて、組織がこれまでと一変しそうで怖いわ」

「確かにいつまでも今のままというわけにはいかないだろうな。有名な言葉に『現状維持では衰退するばかりである』なんてものがあるくらいだからね。それでも美月がいる限り大事な部分は変わらないんじゃないか？」

「……秋人……」

「ともかく今は栗山さんの件に集中しよう」

「そうね……先のことで悩み過ぎるのも馬鹿らしいわ」

「ああ、それと一つ伝え忘れていたことがあるんだよ」

「なにかしら？」

「真城幹部が巻き込まれた爆破事件って先週末に発生したわけだろ？」

「私が寝込んでいたときなんだから間違いないでしょう？」

「ところが金曜日の放課後、査問官三人と鉢合わせてるんだよ」

「どこで？」

美月の声音に緊張が混じる。

「糖分補給の調達に出かけたときのコンビニ前」

「それって完全に名瀬の管轄下じゃない」

「事件発生前に連中が名瀬の庭先をうろうろしているなんてやっぱりおかしいよな？」

「当たり前でしょう！　どうして今まで教えてくれなかったわけ？」

「話してても信じてくれなかったのはそっちだろ？」

「あ」

どうやら僕が報告した事実を思い出してくれたらしい。

「それでも栗山さんが連行されたときに教えてくれればいいじゃない？」

「こっちも栗山さんの件で舞い上がってたんだよ」

来訪者の目的が僕ではなく栗山さんだったという事実も大きい。

「ところで不躾《ぶしつけ》な質問をしてもいいかしら？」

「なんだよ？」

「秋人ってこれまで誰かに告白したことある？」

「なんというか……本気で不躾だな」

しかもなんの脈絡もない質問だ。

「ともかく告白なんてしたことないよ。そんなことを考える余裕もなかったからな」

「あらそう。私もないのよね」

だからなんだよこれ？　ひょっとして誘い受けなのか？

とりあえず情報収集するしかないだろう。

「美月の場合、告白したことはなくてもされることは多いんだろ？」

「中身を知らない人に好きとか告白されても迷惑なだけだわ」

だから告白しないでねと釘を刺されたような気分になる。

無駄に僕が傷付くことになるから告白しようともしていないのに水際で止めるなよな。

とりあえず気持ちを切り替えて話を進める。

「誰かに好かれることが嫌なのか？」

「そういうことじゃないのよ。ただ中身を知りもしない人に好きと言われても、それはつまり私である必要性がまったくないわけでしょう？　容姿や家柄あるいは周囲の評価だけで私を好きになったわけだから、言い換えれば同等の立ち位置にいる女子なら誰でもいいわけよね？それってなんだかビックリマンチョコにおけるシールはいるけどチョコに興味はないみたいな扱いを受けたようで不愉快だわ」

「ほかの例え話なかったのか！　もっと現在進行的なもので例えろよ！」

「失礼ね。復刻版の再販なら比較的最近の話題でしょう？」

「むむ……そうなのか？」

「ちなみにチョコは冷やしてから食べると美味しいわよ」

「どんだけビックリマンチョコ好きなんだ！」

「ともかくあれよ。秋人も中身を知らないうちに好きとか言わないほうがいいわよ」

「まあ……確かに美月の言う通りかもな」

「眼鏡を外した栗山さんのことも——ちょっと秋人、目が完全に死んでるけど大丈夫なの？　というか放任主義の私に突っ込ませるなんて尋常じゃないわよ」

「ああ……大丈夫だ。ちょっと眼鏡をかけていない栗山さんを想像してしまっただけだよ」

結局、控え室を先に出たアドバンテージは無駄な会話に費やしてしまった。後ろから現れた二人を加えて栗山さんのいる保護室へ向かう。到着するなり藤真弥勒は担当の女異界士に経緯を説明し始めた。

「もう大丈夫だ」

おずおずと歩み寄ってくる栗山さんの姿を見て、僕はこれからの不安も忘れて安堵の息を漏らした。美月と博臣も心底ほっとしたように胸を撫で下ろしている。ほんの数秒だけ感動の再会を眺めていた藤真弥勒は、ふと誰に告げるでもなくこれから行うべきことを口にした。

「新堂彩華は地下に拘留されている。名瀬の名義で面会を取り計らっておくから、早く用件を伝えるべきなんじゃないかな？」

目を白黒させている小柄な少女に美貌の異界士が交換条件について説明した。栗山さんはともかく彩華を助けるためには条件に従い有用性を示すしかないことを強調している。あくまで後輩女子に負担のかからないような話の進め方をしていた。

「やりますやります！」

拳を握り締めて二つ返事する後輩女子に僕は苦言を呈した。

「以前に助けてもらったことを恩に感じているなら間違いだぞ。きっちり料金を支払ったんだから気にする必要はないよ」

「それじゃあ、先輩はあの人がどうなっても構わないんですか？」

むっとした表情で栗山さんは訴えかけてくる。最近ちょっとだけ眼鏡の似合う女の子に罵《のの》られたい願望があって、目の前にいる小柄な少女は今その願いを叶えてくれているわけだが、ここで頬を緩ませたりしたら眼鏡をかけていない黒髪の少女が罵声を浴びせてくるんだよな。

「先輩？」

「いや、なんでもない。栗山さんに危険なことはしてほしくないけど、日頃から世話になってる彩華を見捨てたりしたら、後味が悪過ぎて眼鏡に会わせる顔がないからな」

「秋人の中では格好いい台詞のつもりかもしれないけど、一般的な感性からするとただのギャグにしか聞こえないわよ。ここは全米が泣くような台詞で決めるべきじゃないかしら？」

「眼鏡は世界共通だから大丈夫だろ？　それに僕は『全米が泣いた』という惹句《じゃっく》を信用していないんだよ。物理的に考えて全国民が視聴しているなんて無理があるし、そもそも感性の異なる人間を確実に泣かせるとなれば、これはもう感動とか感激とかそういうのじゃなくて、脳に直接作用して涙腺《るいせん》を緩めるみたいな話になってくる」

「秋人は好感度を下げる天才ね」

「美月にだけは言われたくない！」

「とりあえず先に地下へ向かわないか？　未来ちゃんと違って新堂彩華の場合は明確な規則違反だからな。面倒なことになる前に片を付けたほうがいい」

美貌の異界士は神妙な面持ちで先を促した。正論過ぎて誰も反論できない。四人で地下へ向かうと管理人らしい無愛想な中年男が出迎えてくれた。もっと不気味で不衛生な場所を想像していたのだが、思いのほか小綺麗で居心地は悪くなさそうである。

「話なら聞いている。あんたが名瀬だろ？」

「そんな確認方法で大丈夫なのか？」

「心配無用だ。知らない顔がここへ下りてくることは稀《まれ》だからな」

中年男は恰幅《かっぷく》のいい腹を撫でながら端末を操作する。甲高い電子音と同時に機器が稼働。前方にある円状の扉がゆっくりと開いた。

「正式決定が下りるまで監禁拘束という条件だったんだ。あまり気を悪くしないでくれよな」

促されるまま一番面識のある僕が中へ進む。目眩《めまい》を覚えそうな一面白の閉鎖された空間。真っ白な部屋の中心で拘束着に身を包まれた妙齢の女異界士が椅子に固定されていた。映画の一場面を切り取ったような現実味のない光景。引力に導かれるように意識せずとも足が動く。拘束された彩華の傍らまで距離を詰めた僕は手早く固定器具を外した。

「彩華」

呼びかけても返事はない。薬でも盛られて眠っているのだろうか？

「彩華」

「んんん……神原くん？」

肩を揺すると微《かす》かに開いた瞳で僕を捉えたらしい。ここへ連れて来られた記憶があることを確認した僕は、ここから出られる交換条件について流れを説明した。

「なんか神原くんに借りを作るんは癪《しゃく》やわ」

解放条件を聞いた彩華は開口一番《かいこういちばん》こう愚痴《ぐち》る。

「栗山さんが面倒に巻き込まれないための手段でもあるから、どちらかと言えば彩華に協力してもらうようなものだ。もっとも栗山さんには彩華を助けるためと伝えてるんだけどさ」

正直に話すと妙齢の女異界士は口の端を吊り上げる。どうせまたよからぬことを考えているのだろうが、それを無視して進行するわけにもいかないので、僕は彩華の長広舌《ちょうこうぜつ》を覚悟した上で意見を拝聴することにした。

「いくらなんでも出来過ぎてるんよね」

「それは僕も同意見だよ。ただ峰岸舞耶を捕まえることで上手く解決するなら、いいように踊らされているとしても仕方ないだろ？」

「いやいや、そうやない」

相変わらず数学の証明でも行うように式を重要視する。ゆえに以降の解答だけ示してくれるとありがたいんだけどな。

「こんなときくらい即行で教えてくれてもいいんじゃないか？」

「んまあ、癖なんて早々直るもんやないからね。そんなことより事件について詳しく教えてくれへん？　どうしても情報不足で考えが纏《まと》まらへんのよね」

彩華の脳天気な発言に僕は行動を急かした。

「ここを出てからじゃ駄目なのか？」

「ほかの連中に聞かれへんほうがええんよ。いろいろな意見が混じる前に整理しておきたいんよね。それに多少遅れたところで峰岸舞耶が捕まりましたなんてことにはならへんやろ？」

そこまで言われると強く反対もできない。こいつの見透かしたような推理力というか洞察力は底が知れないからな。僕は峰岸舞耶と出会った日の出来事から、今ここに至るまでの内容を可能な限り詳細に話した。

「やっぱりおかしいんよね」

「どこが？」

「わからへん？」

「わからないから聞いてるんだよ。頼むから順序よく話してくれないか？」

「わざわざ異界士協会へ連れてくる意味があらへん」

「ん？」

僕は思わぬ切り返しに素っ頓狂な声を上げてしまった。

「超法規的措置とかそんなことはどうでもええんやけど、ここへ連れてきてから交渉する必要なんてあらへんやろ？　最初に交換条件を提示したほうが楽やからね。それで断られた場合に協会へ連れ込んで次の手を打てばええわけやろ？」

言われると確かにそうなのかもしれない。しかしここで僕がすべきは肯定ではなく否定だ。

「説得力を持たせるために連れてきた可能性もあるだろ？」

「確かに規則を遵守する査問官もおるやろうからね。ただ今回は交換条件を飲ませるための手段で拘束したんやから、そういう常識的な考え方は通用せえへんような気がするんよ。そもそもこういう取り引きは秘密裏に行うべきやろ？　事を公にすればするほど面倒なことが増えるだけやからね」

捻くれた思考を巡らせ始めた彩華の慧眼《けいがん》は計り知れないものがある。

「つまり一度ここへ集めたことに意味があるというわけか？」

「そういう単純なことかもしれへんし、もっと複雑な事情が絡んでるかもしれへんね。ともかく頭の片隅には置いといてくれへんかな？」

「わかった。僕も協会を全面的に信用しているわけじゃないからな」

私物の受け取りがある彩華を残して僕は先に保護室を出た。すぐさま美月が「どうなの？」という表情を向けてくる。博臣と藤真弥勒はなにやら話している様子で、こちらを一瞥しただけですぐに会話へ戻った。

「お待たせさん」

しばらくして一張羅《いっちょうら》の着物姿になった彩華が登場する。見慣れている所為かこれから戦場へ向かうというのにまったく違和感がない。

「全員参加とは喜ばしいことだね」

「戯言はいいから峰岸舞耶の居場所を教えろ。潜入先の目処くらい付いてるんだろ？」

美貌の異界士は藤真弥勒に詰め寄る。確かにここまで手の込んだことをしておいて、標的の情報を掴めていないとは考え難い。戦う駒が揃い次第、闘技場へ案内する。これくらい急展開なほうがまだ納得できるというものだ。

「ある程度の足取りは掴んでいても、現在地まで把握しているわけじゃない。なにか事を起こしてくれれば特定できるんだが、まあ、それは査問官として期待すべきことじゃないからね」

「なにか当てはないのか？」

「これまでの流れからすると峰岸舞耶は隠れ家を転々としながら生活している。最新の場所が特定できれば今後の行動を予測できるかもしれないんだけどね」

その言葉が僕の記憶を呼び覚ました。しかしここで堂々と発表すべきことじゃないだろう。

「博臣、ちょっといいか？」

少し離れた場所へ移動して峰岸舞耶の隠れ家に訪れたことを伝える。一瞬だけ顔を顰《しか》める美貌の異界士だったが、すぐに平静を取り戻して査問官へ疑問符を飛ばした。

「標的の消息が掴めるまで単独行動をしても構わないか？」

「もちろん。ただし連絡は常に取れる状態にしてくれよ？」

「そんなことは確認されなくてもわかってる。美月、ここを任せても大丈夫か？」

「また私だけ邪魔者扱いするつもり？」

「そうじゃない。ただ大所帯が合わない仕事もあるんだよ」

不機嫌そうな黒髪の少女は即座に矛先を変えてくる。

「秋人は残るんでしょうね？」

「いや、今回アッキーだけは連れていく」

「ふーん。それじゃあ私は栗山さんと一緒に情報収集しておくわ」

含みのある言い方をしながら美月は後輩女子へ歩み寄る。まさか僕のいないときに眼鏡を外すつもりじゃないだろうな？　そんな不安が残るものの今優先すべきは峰岸舞耶の足取りである。僕は促されるままに協会を出て博臣の案内役を担う。

一時間も要せず二日前に訪れたマンションへ到着する。

「蛻《もぬけ》の殻でもがっかりしないでくれよ」

「当たり前だ。むしろ発覚して二日も放置しているほうがおかしい」

「それならどうしてここに？」

「万が一の可能性も捨て切れないからな」

扉の施錠を確認した美貌の異界士はベランダ側へ回る。硝子を破壊して中へ侵入するかはともかく、室内の様子がわかれば大きな進展になるだろう。廊下から忍び込める隣室のベランダを抜けて三〇七号室へ向かった。

「カーテンで中は見えない——が鍵は開いてるな」

先行していた博臣が扉を開いて中へ侵入する。追いかけるように僕も中へ進んで室内を観察した。生活感のない殺風景な内装は二日前に訪れたときと変わっていない。しかし部屋の片隅に詰まれた木箱がなくなっていることから、現在は活動の拠点として利用されていないことが推測できた。

「弾薬や護符が運び出されている」

「なにか手がかりになりそうなものを探せ」

言うが早いか美貌の異界士は物色を始める。転々と住居を変えていた僕の経験からすると、峰岸舞耶は痕跡を残していない気がした。誰かに止めてほしいだけで死ぬつもりなんてない奴がわざと人目に付くような場所で自殺を試みるように、誰かにいなくなったことを気付いてほしい奴は、まるで捜してくださいと言わんばかりに「捜さないでください」と書かれた紙を残していくのである。

なにかを期待していた頃の僕もそうだった。誰かが僕に手を差し伸べようとしてくれたとき、その手が僕まで届くように痕跡を残してしまう。しかしそんな微かな希望が成就することはなかった。もしかしたら半妖夢の僕でも——そんな願いを抱かなくなったのはいつからだろう？

「水や日持ちしそうな食料は置きっ放しだな」

「なあ、博臣」

「どうしたアッキー？」

振り仰ぐ美貌の上級生に僕は首を左右に振る。

「峰岸舞耶は痕跡を残したりしない」

「随分と自信満々だな」

「あの写真を見てみろ」

僕はキッチンに残されたコルクボードを指し示した。そこには峰岸舞耶本人の写真が複数枚貼り付けられている。博臣は訝しげな表情を浮かべながらキッチンへ移動した。

「本人が写っているものばかりだな。自意識過剰な女なのか？」

「重要なのはそこじゃない。その写真、明らかに撮影者がいるだろ？」

「確かに自画撮りやセルフタイマーを使った感じはしないな」

「まるで僕が眼鏡の似合う誰かを前にしたときのような顔をしている。それなのに撮影者と一緒の写真が一枚もないなんて不自然だろ？」

「眼鏡の例えはともかく、言いたいことはわかった」

美貌の異界士は腕を組んで思案する。やがて頭の中で纏《まと》めたらしい情報を口にした。

「常日頃から協力者の存在を残さないよう工夫している慎重な奴が、これからの足取りを簡単に掴ませるわけがないということだな。しかしその見えない撮影者が真城優斗だったら本気で笑えなくなるぞ？　考えたくないが組織を崩壊させたあと個々に元幹部を狙うなんて復讐の常套手段だからな」

「なにか繋がりがありそうな二人なのか？　そう言えば以前、峰岸舞耶について協会へ問い合わせると言ってただろ？」

「ああ——異界士として活躍する前の情報しか得られなかったけどな。中学のときに苛《いじ》めを受けていて、おそらくそれが原因で失踪している。監察室が峰岸舞耶の確保を楽観視していた理由もこの辺に起因しているんだろうさ」

藤真弥勒の話を聞いていたとき博臣が一人訳知り顔だったのはこういうことか？

それにしても苛めか――理不尽な扱いと底の知れない悪意が脳裏を掠《かす》める。僕の悪い癖なのかもしれない。ただ似たような境遇を体験しているという理由だけで、ろくに会話もしていない少女のことが放っておけなくなる。

「できれば顔も会わせたくなかったが、これはもう、あいつを頼りにするしかなさそうだ」

僕は唐突に選択肢を増やした美貌の異界士へ視線を向ける。

「当てがあるのか？」

「ほかに手がなければ仕方ないからな」

「僕が一緒でも大丈夫なのか？」

「ああ――今回に限ってはそのほうが助かる」

そんなわけで僕は一ノ宮庵《いちのみやいおり》という異界士の元へ同行することになった。訪問しなければならない手間はあっても、闇雲に探すより効率は抜群にいいらしい。移動中の時間を利用して人物像についての情報を引き出しておく。

「ところで一ノ宮庵と名瀬ってどういう関係なんだ？」

「普段は言い方を選ばなければ無関係に近い。ただ二ノさんの従兄妹《いとこ》ということもあって、何度か顔を合わせたことがあるんだよ。電子干渉能力を利用して情報屋みたいなことをやっているらしいが、ほとんど誰とも交流を持たないから成立しているのかどうかも不明だ」

「ふーん。それで電子干渉能力ってなんだよ？」

「自分自身を電子の海に潜らせる能力と言えば伝わるか？　ともかくあいつは電網上に一度でも流れた情報をすべて読み取ることができるんだよ」

「うへ……引き籠もりなのに情報通みたいな感じか？」

「当たらずも遠からずというところだな」

この段階で僕の中にある一ノ宮庵の印象は下降線の一途《いっと》を辿《たど》っていた。まるで迷走戦隊マヨウンジャーのブルーみたいだからな。

「もうすぐだ」

名瀬の管轄内に住んでいるわけではないらしく、思いのほか早く目的地に到着することになった。目の前に現れた建物を一言で表現するなら高級マンションである。最近はこういう建物をデザイナーズマンションと呼ぶんだっけ？　僕と博臣は機能性より美観を優先したマンションに踏み込む。観葉植物で彩られた豪奢《ごうしゃ》なエントランスで思わぬ人物と遭遇することになった。

「美月？」

「あらあら、考えることは一緒みたいね」

「栗山さんは？」

「ニノさんと一緒よ。ここへ連れて来るべきじゃないもの」

「確かに未来ちゃんみたいな無垢な女の子が来るべきところじゃないな」

「…………」

　絶句するしかない僕だった。しかし博臣と美月は覚悟を決めているらしい。特に躊躇することもなく上階へと向かう。嫌な予感しかしないがここで逃げ出すわけにもいかない。

「いらっしゃい。おや？　美月くんだけじゃないんだね」

　なんとも穏やかな声音《こわね》で出迎えてくれたのは、理系を具現化したような眼鏡の似合う大人の男だった。綺麗な顔立ちをしているのだが、どうも気難しい雰囲気を漂わせている。

「とりあえず中へどうぞ」

　だだっ広い部屋の中は洋風の装飾で彩られていた。寝台や家具はもちろん照明から壁にかけられた小物さえ異国風である。促された椅子に着席して待つこと数分、高級そうな陶器に注がれた紅茶が卓の上に並べられた。

「まずは用件を聞こうか？」

　優雅な所作《しょさ》で紅茶を口へ運びながら一ノ宮庵はこちらへ視線を向けてくる。博臣が事の成り行きを説明してから用件を告げた。

「峰岸舞耶という異界士の情報がほしい」

「ふむ。ニノが世話になっていることもあるし、僕としても協力を惜しむつもりはない。ただ仕事として引き受けるなら、きちんと報酬は支払ってもらうよ？」

「当然だ」

「よろしい」

理系の異界士が席を立ち別室へ移動する。僕はなんの気もなしに第一印象を口にした。

「話のわかる人そうじゃないか？」

「…………」

「…………」

「超不安になるから無言はやめてくれ！　一体これからなにが起こるんだよ！」

僕が喚《わめ》いていると一ノ宮庵が部屋へ戻ってきた。これ以上の追求は諦めるしかない。

「ところで博臣くん、ピアノは弾けるかな？」

「依頼となにか関係があるのか？」

「それでは僕の質問に対する回答になっていない」

しばしの沈黙を経て美貌の異界士は返事を改めた。

「まあ、一応」

「それなら話は早い。報酬として一曲引いてくれないか？」

「腕に自信なんてないぞ？」

「そんな些細なことは気にしなくていい」

「わかった……弾けばいいんだな」

席から立ち上がり博臣は部屋の隅にあるピアノへ向かう。逃亡者を追うには緩やかな展開になっているが、それだけ電子干渉能力を信頼しているのだろう。

「おいおい、一体なにをするつもりだい？」

「ピアノを演奏すればいいんじゃないのか？」

「博臣くんはなにもわかってないな。ピアノを弾く前にすることがあるだろう？」

やれやれという風に一ノ宮庵は首を左右に振る。この辺りから雲行きが怪しくなったことは言うまでもないだろう。訝しげな表情を浮かべながら美貌の異界士は聞き返した。

「まずはなにをすればいいんだ？」

「シャワーを浴びるに決まっているじゃないか？」

「ちょっと待て！　明らかにピアノを弾く手順じゃねえだろ！」

「なにをそんなに興奮している？　身を清めてから演奏してほしいだけだよ」

「…………」

口論するのも面倒臭くなったのか、博臣は浴室の場所を聞いて移動する。一ノ宮庵は中指で眼鏡を押し上げると紅茶を口へ運ぶ。その立ち居振る舞いの優雅さに臆した僕は器に向かっていた手を止める。隣席に視線を移すと美月が「どうかしたの？」という感じで小首を傾げた。

「ところでグッバイアートというものを知っているかい？」

「砂で城を建てたり短期間で消える場所に絵を描いたりするやつかしら？」

二人を代表して黒髪の少女が返答する。

「その通りだ。多くの女性は永遠の美を求めるみたいだが、一瞬の輝きという儚《はかな》さを持つからこそ美は尊くなる。だから僕はやがて朽ち果てることを前提に創作されるグッバイアートが大好きなのさ。一瞬の煌めきにこそ本当の価値があるからね。そんなわけで僕は美月くんの顔に六本の猫髭を描かせてもらいたい」

「最後の一文で台無しだ！」

ただ単に美少女の顔に猫髭を描きたいだけじゃないか！

「別に猫髭くらい構わないわ。さっさと済ませて頂戴」

「実に素晴らしい回答だ」

懐から黒のマジックを取り出した一ノ宮庵は、卓に乗り出して美月の頬に猫髭を描き込んでいく。一分も経過しないうちに仏頂面の猫髭少女が誕生した。特に独自性もない黒い線が左右に三本ずつ伸びているだけなのだが、美少女の頬に描かれているというだけで神秘的なものを感じてしまう。

「これで満足かしら？」

「美月くんは気が早いな。まだ大事な工程を残している」

言いながら一ノ宮庵は美月の長い黒髪を二つ括りにしていく。髪型と猫髭の所為で愛嬌のある顔になっているが、似合っているかどうかは疑わしいし、なにより綺麗系を無理に幼くしている感が半端ない。

「とりあえず『にゃあ』と声に出してくれないか？」

間違いなく切れると踏んでいたのだが、二つ括《くく》りの猫髭少女は、躊躇することもなく「にゃあ」と口にする。なにか重大な弱味でも握られているんじゃないかと不安になる従順さだった。

「次は手首のスナップを利かせながら頼む」

「…………」

「さあ、早く」

「にゃあ」

半ば自暴自棄《じぼうじき》気味に美月は猫っぽい仕種を取る。眼鏡以外に心を奪われるものなんか存在しないと断言できる僕だが、なぜか猫真似をしている二つ括りの少女を見ると胸が高鳴った。なんだろう、この感覚？　眼鏡眼鏡と全面に押し出しておきながら、結局僕は、こういう趣向にも心を躍らせる変態だったのか？

「ふむ。違うな」

「この段階で言うなよ！　僕の葛藤《かっとう》が台無しになるだろ！」

「やはり手の込んだことをせず普通に変顔をしてもらうべきだった」

完全に引き攣った表情を浮かべる美月だった。そんなとき風呂場から救世主が舞い戻ってくる。上半身裸で濡れた髪を乾かす博臣の姿は男の僕でも見惚れてしまう美しさがあった。

「実に素晴らしい肉体美だよ博臣くん！　さあ早くピアノを弾いてくれ給え！」

眼鏡異界士は狂喜乱舞といった感じで興奮している。ピアノへ案内された美貌の異界士は静かに曲を奏で始めた。傍らに立つ一ノ宮庵は真剣な眼差しで指示を飛ばす。

「もっとこう世に蔓延《はびこ》る不条理を訴える若者のような荒々しさで！」

心なしか博臣の鍵盤を叩く指が強くなる。しかし理系の異界士はまだ納得していない。

「若者の世の中に対する不平不満はこんなものじゃないだろう？　全身から滲み出る憎しみと嘆きを荒々しく表現するんだ！　違う違う違う、それでは足りない！　この腐り果てた世界の枠組みを破壊するつもりで！　おおーっ！　その憤怒《ふんぬ》のすべてを鍵盤にぶつけるような迫力は実に素晴らしい！」

しかしその怒りは世の不平不満に対するものではなく、おそらく理不尽な要求をしてくる誰かさんに向けたものだろう。というか美月だけでなく博臣も随分と従順だよな。

「おっと……博臣くんの登場で美月くんに変顔をさせるのを忘れていた」

その発言を受けて演奏が格段に荒々しさを増した。それを気にする様子もなく一ノ宮庵は黒髪の少女へ向き直る。僕は三人の顔を見回すことくらいしかできなかった。

「さあ、美月くん。変顔を頼む」

「あの……せっかく連れてきたのだから秋人にもなにかさせてみたらどうかしら？」

「僕を売るつもりか！」

荒ぶる僕に一ノ宮庵は端的《たんてき》に告げる。

「秋人くん、そこで四つん這いになってくれないか？」

博臣と美月が従順なだけに断れる雰囲気ではなかった。仕方なく僕は指定された場所で四つん這いの姿勢を取る。その背中に触れながら青年異界士は次の指示を出した。

「美月くん、ここに腰を下ろしてくれ給え」

「秋人、私が傷付いたら大変だから『お』から始まって『い』で終わる単語は禁句よ」

そんなことを言いながら黒髪の少女は僕の背中に尻を乗せた。一ノ宮庵が屈辱的な行為に堪える僕の顔を覗き込んでくる。どんな要求を突きつけられるか不安しかない。

「ふむ。どうやら秋人くんに求められることはなにもなさそうだ」

「…………」

酷い話だった。なにこの疎外感。それらしい突っ込みさえ浮かばない。

「しかしまあ、美少女の椅子になれる機会なんて人生であと二回くらいしかないだろうから存分に楽しみなさい」

「あと二回もねえよ！」

「否定するのはそこだけでいいのかい？」

「…………」

四つん這い状態で椅子扱いされるのは確かに屈辱的だが、座っているのが美月の所為か、あるいは単純に美少女だからかそれほど苦痛ではないんだよな。とはいえ高校生の段階で特殊な性癖なんていらない。

「よくよく観察すると素晴らしい構図だ。これは記録に残しておくべきだろう」

離れていく背中をぼんやり見送っていると、頭上から美月の小さな呟きが落ちてくる。

「根は悪い人じゃないのだけど、ちょっとばかり変わり者なのよ」

「理系の天才肌って感じだもんな」

僕は四つん這いの状態で返事をする。段々と慣れてきたことが無性に情けない。

「理系か文系かはわからないけど、確かに努力家というより天才肌ね」

「そもそも文系と理系の分け方に問題があるんだよ」

どうやら聞こえていたらしい一ノ宮庵が写真を撮りながら持論を展開する。

「文系とは『どことなく陰を背負った格好いい眼鏡男子』を指す言葉で、数学ができないから仕方なく文系を選択した連中とは一線を画している。ちなみに後者のような連中は文系ではなく数学ができないただの馬鹿だ」

「うう……辛辣だけど反論できない。確かにそうなんだよな。文系と言葉にすれば様《さま》になってるんだけど、大抵の場合、学力的に理系を選べなかっただけだもんな。国語や英語に特化しているから文系を選んだ奴なんて、ひょっとしたら全体の二割くらいなんじゃないか？」

「つまり文系には私のような本来の意味で文系を選択した生徒の中に秋人のようなただの馬鹿が紛れ込んでいるというわけね。そう考えると理系が賢《かしこ》そうに感じるのも当然のことかもしれ

ないわ。少なくとも数学はできるわけでしょう？」

「それは一理あるかもな。そもそも文系と理系の二択しかないのも問題じゃないか？　文系・理系・無所属みたいにしてくれれば文系の価値も高まるってもんだよ」

「無所属は黙ってなさい」

「僕を勝手に無所属に分類するな！」

「それじゃあ、文系・理系・無所属のどれよ？」

「無所属だよ！」

完全に墓穴を掘る僕だった。ともあれ言い訳くらいしておこう。

「でも有名な進学校じゃない限り無所属が与党になりそうな気がするけどな。要するに文系が今の理系みたいな存在に格上げされるわけだろ？」

「無所属が与党なんて……本当に数の暴力よね」

「いつの世も少数派が多数派に淘汰される運命なんだよ。例えば『可愛いは正義』とか『制服を着ると可愛さ三割増し』は市民権を得ているのに、眼鏡に対する世間の扱いは本当に笑えないくらい低かったりするだろ？」

「ほほう、眼鏡に興味があるのかい？」

興味のある話題なのか青年異界士が割り込んでくる。

「むしろ眼鏡にしか興味がありません」

「それは残念だな。これから眼鏡が爆発的に流行る可能性は皆無だ」

「哀しいこと言うなよ！」

「しかし世間の認識はそう簡単に変わらない。例えば最大手のファーストフード店より安くて美味しい店が誕生したとしよう。一番人気の店より安くて美味しいのだから勝利は約束されているか？　答えは考えるまでもなく否《いな》だ。本当に素晴らしければ評価されるとか美味しければ流行るというのは所詮幻想に過ぎない」

「経済学かなにかで証明されているんだったかしら？」

「まあ、難しい話をするつもりはないよ。それにこの理論は経済だけでなく政治や組織の体質にも置き換えられる。要するに一度形成された枠組みは簡単に壊すことができないわけさ。ともあれ眼鏡の置かれている状況を理解してくれればそれで構わない」

「なんとか……なんとか世間の認識を変える方法はないんですか！」

四つん這いの状態ながら僕は声を大にして訴えた。

一ノ宮庵は鋭い眼光を放ちながら中指で眼鏡を押し上げる。

「僕に一つ案がある」

「聞かせてください！」

「それは『かけるだけで痩《や》せる眼鏡』を開発することだ。そうすれば女性側が勝手に理由を付けて流行らせてくれるだろう。しかも一種の見栄があるから『痩せる』ためではなく『お洒落』

などに置き換えてくれる。ここまでくれば眼鏡っ娘が世に憚《はばか》るのも時間の問題だ」

「おおっ……まさに神算《しんさん》とも呼ぶべき妙案！　僕の考えなんて師匠の足元にも及ばない。まるで暗雲の立ち込めた道に光が照らされたかのような奇跡だ！」

「しかし『かけるだけで痩せる眼鏡』が実現可能かは計り知れない」

「失礼ながら一ノ宮師匠の理想は高く神さえ感服することでしょう！　しかしどれだけ高い理想も行動を起こさなければなにも生まれません！　世間の風潮に負けて眼鏡が大好きだと声に出せない人々のために力を貸してください！」

「ふむ。この純粋無垢な瞳……眼鏡を広めることしか考えていない」

師匠は眼鏡を押し上げながら感嘆の声を漏らした。

それまで一心不乱にピアノを弾いていた博臣の手が止まる。

「美月、これは一体どういうことだ？」

「変態が変態に共鳴しているのよ」

「ところで秋人くんは眼鏡をかけないのかい？」

「ええ、まあ」

「眼鏡愛好家《メガネスト》にしては珍しいね。さてと今度は僕が約束を果たす番だ」

そう言い残して一ノ宮庵は隣室に消えていく。

待ち時間を利用して博臣が服を着て美月は髪を解き顔を洗う。

「ところで秋人の気持ち悪さに押されてすっかり聞き逃したのだけど、まるで常用句みたいに使われていた、眼鏡愛好家《メガネスト》という言葉の意味を教えてもらっていいかしら？」

「その定義も意見が分かれて深刻な問題を孕《はら》んでいるんだよな。一言で眼鏡愛好家《メガネスト》と称しても意外に奥は深くて、例えば対象を眼鏡本体に限定している流派と、眼鏡をかけている人物まで含む流派がある。眼鏡を愛しているという本質は変わらなくても、前者と後者には決して相容れない隔たりがあって、その根深い確執《かくしつ》は未だに解消されていないんだよ」

ここで一呼吸入れてから僕は語を重ねる。

「ちなみに僕は後者の立場を採っている。確かに眼鏡のみを愛すべきという崇高な理念もわからなくはないんだけどさ、僕としては眼鏡の魅力を最大限まで引き上げてくれる人物まで含めたい。もしそれを否定されてしまうと僕の中に眠る衝動を突き動かした栗山さんの存在を説明できないからね。あの日、僕は見ず知らずの眼鏡女子を救うために屋上まで駆け上がったんだ」

あなたのような眼鏡のよく似合う人が死んではいけない。

「奇跡のような出会いだった」

「随分と美化された想い出ね」

回想を始めようとする僕を黒髪の少女は一蹴した。

「ともあれ僕は一ノ宮さんが羨ましいよ」

「どうしてかしら？」

「結局のところ僕は伊達眼鏡愛好家《だてメガネスト》に過ぎないからな。眼鏡をかけて生活する不便さや煩わしさを知らない素人なんだよ。例えば山頂から景色を眺めるとき、普通、長く過酷な道程《みちのり》を歩んでるよな？　それに対して僕は上空から山頂に降ろしてもらった卑怯者に近い。同じ場所から同じ景色を眺めていたとしても、僕と本物の眼鏡愛好家《メガネスト》を比べれば、卑しい僕の矮小《わいしょう》さだけが鮮明になるだろうからね」

「心底どうでもいいわ」

その突っ込みが合図となったのか師匠が部屋に戻り別室へ案内される。十数台の端末とそれらを繋ぐ線が入り乱れた部屋だった。

「暗号解読用のプログラムを六基ほど走査《そうさ》させている。もうそろそろ協会のメインコンピューターにアクセスできるはずだ」

「協会に峰岸舞耶の有力な情報なんて期待できないだろ？」

「博臣くん、その考えは早計だ。少なくとも査問官の情報を収集できる」

そんな話をしていると画面に査問官三人の顔写真と経歴が表示された。それらを確認するわけでもなく一ノ宮庵は得たばかりの情報を紡いでいく。

「藤真弥勒は典型的なエリートだね。しかし残り二人の経歴はかなり微妙……野良の異界士から電光石火で協会に所属……さらに数年で監察室査問官に抜擢《ばってき》されている。あと特徴的なのは身分や地位を保障された妖夢さえ討伐しているところだね」

最後の一文を聞いたとき脳裏を彩華の顔が掠める。あいつの立ち位置もよくわからないんだよな。妖夢でありながら異界士という立場の所為か、人間と妖夢の境界線上に存在する僕を面白がり、なにかと協力してくれることはありがたいんだけどさ。

「肝心の峰岸舞耶に関する情報は？」

「連絡先なら入手したが出てくれないだろうね」

「…………」

博臣と美月と僕が三者三様の表情で絶句した。

「そんなに驚くようなことじゃないだろう？　協会へ登録するときの必須項目だからね。ここまでなら監察室の連中も把握している情報だ。ただし僕の場合は携帯端末の電源が切れない限り現在地を特定できる」

「相変わらず……とんでもない奴だな」

「それを見越して僕のところへ来たくせによく言うよ」

一ノ宮庵は眼鏡を押し上げながら嘆息を漏らした。

「ちなみに今から追跡するつもりなのかい？」

「もう峰岸舞耶の居場所を特定したのか？」

「正確には三十秒前にいた場所になるけどね」

画面に特定した場所が映し出されていく。

「その位置情報、ニノさんの端末に転送可能か？」

「もちろん」

その後、一度協会へ戻り居残り組と合流することになった。勝手に追跡しない約束を交わしていたので当然の選択である。道中で僕は気になっていたことを尋ねておく。

「冷静に考えたら一ノ宮さんに会うのは誰か一人でよかったんじゃないか？」

「これだから経験の少ない素人は困る。周りに誰かいるから精神状態を保てるのであって、もし一人で訪問して、ピアノを弾く前にシャワーを浴びろとか言われたら引くぞ」

一対一でピアノを弾かされている博臣を想像して僕は泣きそうになった。

「僕の考えが浅はかだったよ」

「わかってくれればそれでいい」


「連絡なら受けている」

言いながら優男風の査問官は机の上に地図を広げた。異界士協会の控え室に戻るなりこれである。とはいえ無駄な言葉の応酬に時間をかけるより建設的だ。その場に居合わせた全員の視線が紙面へ向けられる。そこには名瀬の管轄する地域に近い場所が記載されていた。

「峰岸舞耶は屋内戦に限れば無敵に近い。理由は説明するまでもなく戦闘が中断する確率が高いからだ。ゆえに強敵が現れれば本能的に建物へ逃げ込むことが多い。そこで廃墟と化している工場跡地を戦場に使う」

　地図上の目的地を指で示しながら藤真弥勒は内容を語る。伝えられたのは実に単純な袋の鼠作戦だった。まず包囲網を張って峰岸舞耶を工場跡地へ追い込む。その後は二箇所ある出入口から檻の使い手を送り込んで挟撃《きょうげき》するというものだ。

「必然的に俺と美月は別の配置になるな」

「おいおい、やっぱり降りるなんて頼むから言わないでくれよ」

　博臣の言葉に僕は過剰な反応をしてしまう。こいつの妹想いは過保護の域を超えているからな。美月に危険が及ぶとなれば協力を拒む可能性も出てくる。僕の様子を危惧したのか美月本人も口添えしてくれた。

「ここで手を引くなんて私は嫌よ」

「確かに実務経験を積めとは助言したが、いきなり実戦経験に突入はおかしいだろ？」

「でも標的の武器はただの拳銃なんでしょう？」

　ただの拳銃と表現するところが檻の堅牢さを証明していた。絶対不可侵の干渉結界を生み出せる名瀬一族は弾丸程度に怯んだりしないのだろう。

「奇襲を受ける可能性もかなり低そうだし、まあ、初陣としては悪くないのかもしれないな。変な異能力に比べれば物理的な武器は檻による対処が楽だ」

「それじゃあ？」

「ああ、降りろとは言わない。ただし安全を最優先しろよ」

ぱあっと表情を明るくする美月だった。とても喜ぶような状況ではないのだが、参加を認められたことが嬉しいのかもしれない。たとえ危険に身を置くことになったとしても、やはり蚊帳の外よりは居心地がいいのだろう。

「戦力の配分は名瀬博臣と栗山未来、名瀬美月と新堂彩華といったところかい？」

「二手に分けるならその組み合わせしかないだろうな」

僕が戦力に含まれていないのは想定内として、博臣が藤真弥勒の発言を制さないのは意外だった。分析に間違いがなくても皮肉の一つくらい返すと踏んでいたからである。しかしそんな杞憂《きゆう》も虚しく美貌の異界士は栗山さんと新堂彩華に視線を移していた。

「やはり非常時になったときを考えれば、美月と未来ちゃんの組み合わせは避けたい。二人の意見を聞かせてもらっていいか？」

「作戦の決定はお任せします」

「私も特に意見はあらへん。こんな可愛い女の子に守られるなんて最高やからね」

着物姿の異界士は黒髪の少女へ向けて片目を閉じる。いつも和菓子店に引き籠もっているくせに随分と社交的だな。しかし当の美月は引き攣った笑顔を浮かべるだけだった。

「目的の工場跡地へ追い込むまでは協会も手を貸してくれるんだろ？」

「もちろんだ。追い込みは人海戦術を選ばないと難しいからね。協会が直々に雇用した異界士の配備を予定している」

「それじゃあ、さっさと用件を済ませよう」


陽が落ち始めて景色を朱に染める。

ぼんやりと空を眺めていた僕は視線を下へ落とした。完全武装の異界士たちが最終調整を行っている。傍らに立つ博臣も服は春物の軽装だが、足元は戦闘用の長靴に履き替えていた。冷静に考えれば信じ難い装備なのだが、誰も疑問を呈さないので大丈夫なのだろう。

「工場内へ踏み込むつもりならアッキーも防弾に備えとけよ」

「そういう不機嫌な言い方をしないでくれないか？　栗山さんが気まずくなるだろ」

「俺が苛立っている理由はアッキーの存在なんだが？」

「あの……喧嘩は……やめてください」

栗山さんは懇願するように美貌の異界士と僕を見やる。

「未来ちゃんはなにも悪くない。アッキーが分不相応なことばかりするのが問題なんだ。大人しく留守番していることが最善だと今すぐ理解しろ」

「たまには博臣の活躍するところを見たいからな。聖書にしろ英雄の武勇伝にしろ後世に語り継がれるのは第三者による書物だろ？　やはり偉人は『言葉と態度』で人々に道を示し、それに感銘を受けた奴が『文字』で書き残す。博臣がシャーロック・ホームズで僕がワトソンというわけさ」

「口が達者というか……そこまで言い繕《つくろ》えるとある意味で才能だよな」

美貌の異界士は嘆息を漏らしながら肩をすくめる。

「しかし美月と彩華は上手くやれるんだろうか？」

「仕事に私情を挟むほど二人とも子供じゃないだろ？」

「まあ、確かにそうなのかもしれないけどさ。そもそも僕は美月と彩華の緩衝材になろうとしていたんだぞ？　それを博臣が駄目とか言い出すから話がややこしくなったんだ」

「不死身じゃないアッキーが参加すれば美月の負担が増えるだけだからな。現実の戦闘では少年誌のような奇跡は起こらない。だから成功率を一パーセントでも上げるために最善を尽くすんだ。どんなに地味な準備にも手間と暇を惜しまない。その点に関してアッキーの場合は不死身特性が感覚を麻痺させているんだろうな。死について頭では理解しているのかもしれないが、死に対する本能的な直感は一般人と乖離《かいり》している」

「博臣も彩華みたいなことを言うんだな」

理解しない僕に博臣は言葉を重ねる。

「死に限定する必要はないかもしれない。例えば『勝利のためなら右腕くらいくれてやる』みたいな発想あるだろ？　腕が千切れる痛みはあってもアッキーなら躊躇《ちゅうちょ》しないんだろうが、一般的な感覚としてはこの時点でもう究極的な選択なんだよ。命に関わらないとしても失くした腕は再生されないからな」

「…………」

「まあ、自重してくれればいいさ」

参加する異界士たちそれぞれの配置を確認し、あとは追い込みの時間を待つだけになっていた。博臣は事前に受け取っていた工場の見取り図を広げる。突入予定のある僕と栗山さんに向けて簡単な進行手順を説明し始めた。

「内部へ侵入するまでは以上の経路で攻め込む。それからは標的の位置と状況を踏まえて適時攻略手順を変更していく。もし峰岸舞耶を発見したら下手に身を隠さず正面から突っ込む。これは弾切れ狙いの長期戦は俺や美月の集中力が持たない可能性があるからだ」

「つまり短期決戦なら鉄壁ということか？」

「全方位からの攻撃を無力化してやるさ。峰岸舞耶が工場跡地を吹き飛ばすような自爆を敢行したとしても俺たちは無事だ。そんなわけで標的を取り押さえる役目は未来ちゃんに任せていいか？　攻撃と防御で役割分担したほうが確実そうだからな」

「了解しました」

「そろそろ時間か？」

僕は携帯の時刻表示を一瞥してから二人の異界士を見やる。小柄な少女はすでに準備完了という雰囲気を醸し出していた。それに対して美貌の異界士は険しい表情を崩さない。勝利を約束された戦闘なのに負け戦のような空気が漂っている。

そんなとき博臣の携帯端末が軽快な電子音を奏でた。通話口に二言三言短い返事をして顔を上げる。このとき僕は最前線に立つ少年の横顔に見惚れていた。戦場へ向かう男の美学みたいな哀愁が半端ない。

「東から追い込んだらしい。西から進入して迎え撃つぞ」

まず三人で敷地の西門へ移動した。博臣を先頭に僕と栗山さんが追従する。自然と三角を描く隊形になっていた。門を抜けて寂れた建物の中へ足を踏み入れる。流れ作業用の長大な機械がそのまま放置されていた。ほとんど錆びていて使い物にはならないだろう。慎重に進んでいくものの延々と作業場が続いていた。

「予想以上に酷いな」

美貌の異界士は鉄屑を蹴る。それだけで埃《ほこり》が舞い上がり視界を曇らせた。

「先を急ごう」

建物と建物の中にある中庭を抜けていく。アスファルトが敷かれていない地面は雑草で荒れ放題だった。次に突入した建物はどうやら食堂らしく、朽ち果てた長机と椅子が理路整然と並べられている。勢いに任せて進んでいくと長年蓄積された大量の埃が舞い上がった。

「これはなんとかならないのか？」

「どうにもならない」

工場内部は至るところに身を隠す場所があるので、標的を見逃さないよう細心の注意を払わなければならない。進入してどれくらい経過した頃だろうか？　前方から呻《うめ》き声のようなものが漏れ聞こえてくる。標的を追い込んだあと東口に蓋をするのは美月と彩華の役目だ。つまり現時点で男の声が聞こえてくること自体がおかしい。警戒しながら距離を詰めると武装した異界士数名と藤真弥勒の姿があった。

「おい、しっかりしろ！」

博臣が査問官に駆け寄ったので僕と栗山さんは武装した異界士の様子を確認する。一人で動けないほど重傷ではあるが全員生きていた。安堵や恐怖という気持ちより先に作為的なものを感じてしまう。しかしそれがなにを意味しているのかはわからない。

「どうしてここにいる？　あんたの役目は外の連中を束ねることだろうが！」

「救援を……要請した……のは……そっちだろ」

二人の会話がまるで噛み合わない。

「峰岸舞耶にやられたのか？」

「いや……違う。ただ仲間……かも……しれない」

意識が朦朧《もうろう》としているのか藤真弥勒からそれ以上の情報は聞き出せなかった。一瞬だけ驚きの表情を浮かべた博臣は、懐から携帯端末を取り出して確認する。そして誰に言うでもなく画面に表示された名前を呟く。

「ニノさんからだ」

「うへ……この状況で愚痴は聞きたくないな」

「とはいえ無視するわけにもいかない。確か追い込み部隊に参加しているはずだからな」

美貌の異界士は携帯端末を操作して耳に当てる。傍らの僕にまで届く大声が漏れ聞こえた。

『楠木右京と永水桔梗の姿が見当たらないの！　そっちに合流しているとかない？』

「ない。ただそんなに慌てるようなことじゃないだろ？」

『彩華さんと美月ちゃんにも連絡が取れないのよ！　なにか聞いてない？』

「それらしい情報はもらってない。ところで定期連絡はいつまであった？」

動揺を押し殺すように博臣は低い声で問いかける。

『追い込みの連絡を入れたときくらいまでね』

「わかった。それと外にいる異界士を一個分隊程度派遣してもらえないか？　藤真弥勒を含めた五名が身動きを取れないほどの重傷だ」

それからニノさんの回答に数度首を縦に振り美貌の異界士は通話を終えた。

「やられた。完全に俺の読み間違えだ」

「一人で納得してないで説明してくれ！」

「峰岸舞耶は囮だったんだよ」

「はい？」

僕と栗山さんの素っ頓狂な声が重なる。

「最初から組織的な行動だったのかもしれないな。栗山さんの拘束から峰岸舞耶の確保依頼まで全部が仕組まれたことだったんだよ」

「そんな断片的な説明じゃ意味わかんねえだろうが！」

「俺たちが二手に分かれたあと楠木右京と永水桔梗の消息が不明になっているらしい。それで合流していないか確認の連絡を取ったところ向こうは繋がらないんだとさ」

「楠木右京って……あの妙に好戦的だった査問官か？」

「ああ――幼少期に両親を殺されてから妖夢を目の敵にしていたらしい。あまりに無差別に討伐するから査問官への転身を命じられるくらいにな」

「それと今回の件になんの関係が？」

「先輩を見逃している名瀬家が気に入らないということでしょうか？」

ぽつりと小柄な少女は疑問を口にした。その言葉が奥深くで眠っていた記憶を蘇らせる。糖分補給の買い出しでコンビニへ向かったとき、僕は楠木右京の半端ない敵意をすでに経験していた。藤真弥勒が制止しなければ殺されていたかもしれない。

「ちょっと待ってくれ……僕の所為で美月が危険な目に遭っているのか？」

まるで主人公補正のかかった名探偵と同様に、半妖夢は存在するだけで災厄をもたらすのだろうか？　落胆する僕に美貌の異界士は首を左右に振った。

「アッキーの所為じゃないさ」

「気休めならやめてくれ！」

「そうじゃない。連中の目的は新堂彩華だよ」

き《》っぱりと博臣は宣言した。あまりに堂々としているので真実にしか聞こえない。しかし彩華が狙われる理由がまったくわからない。神原弥生との連絡手段について問い詰めたいなら、異界士協会へ連行した時点で達成されていないか？　わざわざ解放して再び捕まえる意味なんて存在しないだろう。

「妖夢が異界士を名乗るなんて許せないんだろうさ」

その言葉に僕は絶句するしかなかった。

いろいろな疑問が頭の中を駆け巡っていく。妖夢でありながら和菓子屋を営み異界士を生業《なりわい》にしている妙齢の女店主。なぜ博臣が彩華の正体を知っていたかも謎だし、どうして連中がこんな回りくどい工程を踏んだのかもわからない。

「新堂彩華は名瀬の管理する檻の中から滅多に出ない。しかもその数少ない機会を把握して狙い撃つとなれば不可能に近いからな。だから連中は穏便に檻から連れ出す必要があった」

名瀬の管轄下で事を起こせば面倒なことになる。この認識は異界士の中で常識になっているのかもしれない。しかしそれにしても疑問は山積みだ。

「もし彩華が目的なら協会へ連行する途中で事を済ませたほうが確実じゃないか？」

「藤真弥勒やほかの査問官が同行していた可能性も高い。それに護送中の異界士が死んだり行方不明になったりしたら大問題だ。まずは協会へ届けて任務を果たす。それから外へ出る機会を与えたほうが好都合だったんだろ」

そこまで聞いて僕は底知れない悪意を感じた。

「ちょっと待ってくれよ。協会が峰岸舞耶対策に奔走するのを利用して、楠木右京と永水桔梗は彩華を討つ算段を立てていたということか？」

「いやいや、この場合は峰岸舞耶も一枚噛んでるだろうさ。それなら爆破事件に真城幹部が巻き込まれたことも偶然ではなく必然になる。今ここに峰岸舞耶が逃げ込んでいて、それを俺たちが追いかけているのも、すべて計画通りというやつだろうな」

――ともかく頭の片隅には置いといてくれへんかな？

僕は一度協会まで連行した可能性の一つを示唆する。

「まさか……栗山さんを巻き込んだのは僕から彩華へ交換条件を説明させるためか？」

「ほかに狙いがあるかもしれないが当たらずも遠からずだろうな。いきなり査問官から取り引きを持ちかけられるより警戒心は低くなる。それにアッキーのことだから未来ちゃんを助けてほしいみたいな頼み方をしたんだろ？」

「うう……返す言葉もございません」

「先輩……ごめんなさい」

恐縮する栗山さんに僕は首を左右に振る。

「栗山さんが謝ることじゃないよ。連中の計画が性質悪過《たちわるす》ぎるだけだ。でも彩華が簡単にやられるとは思えないんだけど……そうか……まだ凪《なぎ》だから本調子じゃないのかもしれない」

「もっと単純になんらかの薬物を拘束したときに盛ることもできただろうからな。それに美月が一緒にいて緊急連絡を入れる余裕もなくやられるとは考え難い。そうなれば尚更仲間を装いながら近付いて不意を突ける連中が怪しくなる」

先の真城襲撃事件を鑑《かんが》みると僕の美月に対する期待は低い。怯えて声も出なかったという可能性さえ考えられるからだ。そんな表情を読み取られたのか博臣は憮然《ぶぜん》と反論してくる。

「檻の性能を理解しているからこそ学校が襲われるなんて考えがなかったんだよ。ちゃんと警戒していれば美月の檻も第一線級の代物なんだぞ？」

「わかったわかった」

「本当にわかってるのかよ」

「あの……失礼ですけど……喧嘩している場合じゃありません」

「栗山さんの言う通りだ。口論するより次をどうするか考えようぜ。こうしている時間も彩華や美月の身が危険に晒されているわけだろ？」

なにか言いたそうな顔をしていたが、どうやら私情は後回しにしたらしい。

「当初の予定通り峰岸舞耶を捕らえて共犯者の目的や向かう先を聞き出そう。闇雲に探し回る

より は期待が持てる」

「すでに工場跡地から脱出している可能性は？」

「外にいる連中もすべて仲間ならありえるかもな」

「それは……ちょっと考えたくないな」

「だとしたら逃げられたら逃げられたで一報あるはずだ」

「つまりまだ中に潜んでいると？」

「その可能性が高い」

確かにそうなのかもしれない。僕は最後の質問を切り出した。

「もし峰岸舞耶と査問官二人が無関係だったら？」

「それはないだろ。もし偶然なら峰岸舞耶の行動と査問官の行動が噛み合い過ぎている。誰が首謀者かはまだわからないが、糸を引いている奴がいることだけは確かだ」

ニノさんから美月の安否に関わる一報を受けた博臣だが思いのほか冷静である。二人の身は今も危険なわけだが、一番懸念された最悪の事態は避けられた。もっと取り乱す印象があったので、少なくともこの結果は僥倖《ぎょうこう》だろう。

「栗山さんの意見は？」

「私もこのまま標的を捕らえるべきだと思います」

そんなわけで捜索が再開された。

巨大な機械が錆び付いた状態で放置されていて、周辺には鉄パイプや金属の部品が散乱している。床と一部の壁はコンクリートだが、それ以外の足場は鉄で組まれていた。階段や中二階を渡る場所も慎重に進まなければ甲高い金属音を奏でることになるだろう。

「場所が悪いな。音で位置を把握されそうだ」

愚痴りながら博臣は先へ進んでいく。僕と栗山さんは警戒しながら後ろを追う。一見すれば三人一組の基本隊形になっているのかもしれないが、実際のところ、防御に関しては檻に一任しているので後方二人は微妙な存在だ。

「近いな」

ふと美貌の異界士は足を止めた。ぎりぎり届くような小声で僕は問いかける。

「位置はわからないんじゃなかったのか？」

「距離次第だ。アッキーは極端過ぎるんだよ」

「接触後の戦術はどうしますか？」

小柄な少女は左腕の装飾品に手をかけながら表情を引き締める。

「未来ちゃん、防御は考えなくていい。一直線に突っ込んで足下を狙うんだ」

「わかりました」

当初の予定通り攻撃と防御を分担することで一気に片を付けるつもりらしい。

最強の矛《ほこ》たる変幻自在の血液と、絶対不可侵の檻が協力するのだから、実際かなり強力な組み合わせだろう。そして僕の役目はその活躍を見届けることにほかならない。

「それと一度峰岸舞耶の視界に入ったら、できるだけその状況を維持してほしい。藤真弥勒の情報を信じるなら、それで『先の先』を防げるはずだからな」

「でも今は『先の先』の次も脅威なんだろ？」

「異能力の絡まない物理攻撃ならなんとでもなる。これぱっかりは実際に試さないと知り得ないんだが、もしその『先の先』が檻さえ攻撃と見做《みな》すなら手に負えない。理屈だと檻を張る前に撃たれていることになるからな」

「意味不明過ぎないか？」

「概念の問題だから言葉じゃ説明できないんだよ。ただ言わんとすることはわかるだろ？」

うーんと険しい顔の僕とは対照的に栗山さんはそれらしい台詞を口にする。

「異能力の優劣は判断が難しいんです」

「ふむ」

どうやら異界士も教科書通りにはいかないらしい。やはり実戦でしか得られない経験というものがあるのだろう。慎重に階段を上がっていくと不意に博臣が身体を屈めた。

「気を引き締めろ」

そう呟いた瞬間、美貌の異界士は階段を駆け上がる。錆びたコンテナに身を潜めながら博臣はこちらへ来いという合図を送ってきた。僕と栗山さんはその指示に従い移動する。

「絶対に先制攻撃が可能な『先の先』は極力避けたい。できれば峰岸舞耶の意思で攻撃するように仕向けたいところだ」

「やっぱりよくわからないんだよな」

「まあ、よくわからないということがわかっていればいいんだよ。よくわからないから発動させないように気を付けようで問題ないだろ」

「それはそれで安易で嫌だな」

「アッキーみたいな中途半端な奴が一番戦場で役に立たないんだよな。悩んでるだけで結局なにもやらない」

「試験前の僕とかまさにそんな感じだ」

じとっとした瞳の栗山さんがこちらを見つめてくる。普段と違って異界士状態のときは妙な迫力があって怖いんだよな。

「不愉快です」

「なんとなく予想してたよ」

しかしこんな他愛もない口論も緊張の糸を解く気休めくらいにはなったのだろう。硬化していた空気が幾分か緩む。それから間もなくして戦闘開始の合図が告げられた。

「未来ちゃん、準備はいいか？」

「はい」

「行くぞ」

博臣と栗山さんは前方から姿を現した峰岸舞耶へ突っ込む。

「舞耶ぁあああああああああっ！」

腹の底から絞り出されたような博臣の怒号が響く。白銀髪の少女は二挺の拳銃を構えて二人へ向ける。銃口を向けられても身を隠す気配のない二人へ発砲。しかしそれは進行方向の床に狙いを定めた威嚇射撃だった。これで足止めを図るつもりだったのかもしれないが、美貌の異界士と小柄な少女の進行は止まらない。

「くっ！」

認識を改めたらしい峰岸舞耶は、今度は足を狙って発砲してくる。ひゅんひゅんと風を切り裂くような音を奏でながら放たれた弾丸は、最短距離で突っ込んでくる二人の太股《ふともも》辺りに狙いを定めていた。もっとも目で追えるような速度ではないので、あくまで結果からの推測でしかないのだが、鉛玉は着弾する寸前に檻の干渉を受けて弾け飛ぶ。

「なっ！」

これには白銀髪の少女も驚いたらしく、後方へ敗走しながら再び引き金を絞る。放たれた弾丸は不可視の壁に衝突してこれまた軌道を変えてしまう。数秒間に連続で発砲された鉛玉はすべて檻に駆逐《くちく》される。

「ちっ！」

峰岸舞耶は舌打ちしながら底の尽きた弾倉を引き抜く。

「今だ未来ちゃん！」

博臣の合図に従い栗山さんが跳ねた。圧倒的な瞬発力で距離を詰めると標的の足へ向けて刃を放つ。白銀髪の少女は駆けながら予備弾倉を装填《そうてん》する。弾切れが戦闘の中断と判定されたのか、弾倉交換で意識が逸《そ》れたのか判然としない。

しかし次の瞬間――峰岸舞耶の左手が帯革《おびかわ》に差し込んだ回転式拳銃を引き抜く。消音器が機能しない回転式拳銃は甲高い炸裂音を奏でた。突っ込んでいた小柄な少女の身体が仰《の》け反《ぞ》るように軌道を変えて地面に転がる。

「栗山さん！」

僕は無我夢中で栗山さんの元へ駆け出していた。白銀髪の少女が小柄な少女に銃口を向けた刹那、距離を詰めていた美貌の異界士が体当たりする。後方へ突き飛ばされた峰岸舞耶は一回転して体勢を立て直す。即座に装填を完了させた自動式拳銃の照準を博臣に合わせる。

「させません！」

小柄な少女の形成した赤黒い刃が拳銃を跳ね上げた。しかし白銀髪の少女はもう一挺の引き金を絞る。反射的に栗山さんは身体を仰け反らせるが、もちろん不可視の壁が弾丸の軌道を変えた。この時点で峰岸舞耶も不可思議な現象の正体に気が付いたのだろう。

「干渉結界か……面倒臭いな」

白銀髪の少女は逃走しながら回転式拳銃の弾丸を交換し始める。もちろん美貌の異界士と小柄な少女もすぐさま追跡を開始した。対妖夢戦とは異なる緊張感が僕にも伝わってくる。

「未来ちゃん、もっと本気で攻撃してくれないか？　美月の安否が不明な以上、悠長なことはやっていられない」

「はい。ただ……少し気になることがあるんです」

「ん？」

「私の勘違いかもしれませんが……あの人も手を抜いているような？」

「やっぱり未来ちゃんに隠し事はできないな。それは俺も感じていた」

博臣が表情を曇らせたのを見計らい峰岸舞耶は身体を反転させる。振り向き様に四十四口径の回転式拳銃が火を噴く。放たれた弾丸は軌道を変えられることなく不可視の壁に減《め》り込《こ》む。

「なっ！」

なにもない空間に硝子が割れたような亀裂が走る。

「この弾丸は干渉結界を貫く」

「馬鹿なことを――」

僕はその場を動かない博臣の身体を真横へ引く。弾丸は確かに檻を突き破ったが、本来の脅威を失くして床へ落ちる。呆気に取られている美貌の異界士に対して、小柄な少女は勝負を着けるべく次の攻撃に転じていた。

次の瞬間――三発の銃声が響く。超反応で発砲された弾丸は不可視の壁に衝突して空間に亀裂を走らせる。栗山さんはその下を潜《くぐ》り抜《ぬ》けると峰岸舞耶の顎先に掌底を打ち込む。がくんと頭の揺れたところに今度は膝蹴りを腹へ向けて放つ。しかしここで白銀髪の少女が振り下ろした拳銃が小柄な少女の後頭部を捉える。

相打ちになった二人はふらふらと後方に下がり距離を取る。明らかに意図のわからない行動だった。勝利を目指すなら血液の刃を使わない理由が不明だし、なにか別の目的があるなら攻撃する必然性がわからない。

「どうして本気で戦わないんですか？」

「それはお互い様だろ」

苛立ちを隠さずに白銀髪の少女は口を拭《ぬぐ》い唾を吐き捨てる。

「目的を教えてください。誰かを逃がすための時間稼ぎですか？」

「そんなことを聞いてどうする？」

「黒幕を止めます」

「くだらない」

峰岸舞耶は帯革に提げていた筒状の物体を引き抜く。咄嗟《とっさ》に僕は叫んでいた。

「閃光弾だ！」

数瞬後――室内に眩《まばゆ》い光が放たれる。僕は反射的に視線を逸らして直視を避けた。

「糞っ垂れが！」

　怒声を上げながら博臣は遠ざかる足音を追跡していく。耳だけを頼りに僕も先行する二人の背中を追いかけた。峰岸舞耶の目的は依然不明だが、誰かと組んでいることは確実だろう。黒幕を吐かせるだけではなく、美月の安全を担保する意味でも、今ここで逃がすわけにはいかない。消音器で減殺《げんさい》された銃声が鳴り響く光の中を檻を信じて駆け抜ける。

「あんなもので俺から逃げられるつもりだったのか？」

「ちっ……索敵能力も桁外れだな」

　白銀髪の少女は構えた二挺の自動式拳銃から空弾倉を落下させる。瞬時に新しい弾倉を装填すると発砲を再開。超高速で飛来する鉛玉を不可視の干渉結界が弾き返していく。いつの間にか低い体勢で距離を詰めていた栗山さんが赤黒い刃を下方から上方へ一閃する。半円を描いた軌道は横っ腹から胸部を通り左肩口へ抜けていく。掠めた程度なので傷は浅そうだが、タイトな服装が裂けて鮮血が滲む。

「逃げるなら手加減はしません」

　小柄な少女の瞳に決意が宿る。美月や彩華のことを考えれば悠長な時間はない。

　白銀髪の少女は苦痛に顔を歪めながら敗走。威嚇で放たれた弾丸はすべて檻が無力化する。再び栗山さんが一閃を繰り出そうとした瞬間、廃材の上から小さな黒い影が飛び落ちてきた。

「ギャース」

「ひゃん」

反射的に眼鏡女子は黒い影を手で払う。爬虫類のような妖夢が床に落下して転がる。ぎょっとする峰岸舞耶の表情が印象的だったが、すでに反撃の引き金は絞られており、銃口から放たれた弾丸は一直線に栗山さんへ向かう。もちろん小柄な少女に到達することはなく、鉛玉は檻の干渉を受けて軌道を変化させる。

「モグタン！」

悲痛な声を上げて白銀髪の少女は妖夢を庇う。床で二度目の跳弾を果たした弾丸が峰岸舞耶の脇腹を捉える。傷口から流れ落ちた血液が床を朱に染めていく。負傷した身体を気にすることもなく、少女は親友と呼んでいた妖夢に手を差し伸べる。

「どうして……出てきた？」

「ギャッギャッギャッ！」

「そうか……ありがとう」

「グギャギャギャ……ギャギャ？」

「いいから……逃げろ……モグタン」

白銀髪の少女は上体を起こすと再び二挺の銃を構えた。予想外の展開に博臣と栗山さんは目を白黒させている。妖夢を庇う峰岸舞耶の姿に僕は感情を抑えることができなかった。

「もうやめてくれ……早く手当てしないと助からないぞ」

「黙れ……私は誰にも屈しない」

「お前が死んだらそいつはどうなる！　帰りたい場所があるなら命を粗末にするな！」

「黒幕と人質の居場所を教えろ。そうすれば外で待機している異界士に治療を頼んでやる」

僕の言葉を引き継ぐように博臣が交換条件を伝える。

「ギャッギャッギャーッ！」

爬虫類みたいな妖夢が美貌の異界士を威嚇してきた。小柄な少女は嬉しそうに腰を下ろして妖夢の頭を撫でる。至近距離で銃口を向けられても栗山さんは身を引かない。不可視の干渉結界が張られていることもあるだろうが、それ以外にも絶対に臆しないという強い信念を感じた。

「あなたの力になりたい」

きょとんとした表情を見せる峰岸舞耶だった。ひょっとすると僕と博臣も似たような表情をしていたかもしれない。それくらい小柄な少女の言葉は衝撃的だった。

「悪い人には見えません。最初の交戦でも私を殺すつもりはなかったですよね？」

「根拠もなく適当なことを言うな」

「だってあなた――先輩と同じ目をしている」

「ふざけるな！」

白銀髪の少女は激しい語調で否定した。苛烈《かれつ》な視線が小柄な少女を射抜く。そんな状況の中で栗山さんは真城一族事件の経緯を話し始めた。まずはこちらから話しますと言わんばかりに朗々と語る。しばらくすると峰岸舞耶が小さな声で呼応した。

「私は恩返しがしたいだけだ」

「どういうことですか？」

「私を助けてくれた人に協力したい」

「あなたの話を聞かせてください」

肩で息をしながら白銀髪の少女はとある男との出会いについて語る。そして聞くに堪えない話を終えると改めて繰り返した。

「私はあの人が望むことを叶えたい」

「あなたは間違っています！」

栗山さんは酷く哀しい表情を浮かべながら眼前の少女を断罪した。

「博臣先輩、檻を解除してください」

「馬鹿なことを言うな。この状況で檻を解除すれば命の保障はない」

栗山さんの提言を博臣は即答で否定した。しかし後輩女子の決意は揺るがない。

「お願いします。この壁がある限り私の声はこの人に届きません」

「…………」

刻一刻を争う状況の中で静寂が訪れる。幹部としての裁量が問われる場面だった。

「お願いします」

「わかった。とはいえ危険だと判断したら再発動させるからな」

ゆっくりと歩み寄る小柄な少女に峰岸舞耶は自動式拳銃を構えた。僕は反射的に干渉結界を再展開させようとした博臣の腕を掴んで制する。美貌の異界士はこれまで見せたことのない形《ぎょう》相《そう》でこちらを睨む。

「なんの真似だ？」

「ここは栗山さんに任せてくれないか？」

「俺の手が届く範囲で仲間を死なせるわけにはいかない」

「博臣、頼む。お前が動けば峰岸舞耶は簡単に捕らえられるかもしれない」

「だったら尚更だろうが？」

「でもそれじゃあ、誰も救われない」

僕は博臣を羽交い絞めしながら訴える。

「栗山さんの言葉でしか伝わらないことがあるんだ」

拳銃を構えた白銀髪の少女は後退《あとずさ》りしながら不敵な笑みを浮かべた。

「触れた者を死に至らしめる血を宿す一族か……ははは……こんな至近距離で発砲すれば返り血を浴びて私も助からない。だから撃つわけがないという判断か？」

「私がこの指輪を外さない限り返り血を浴びても死ぬことはありません」

栗山さんは左手の小指に填《は》められたピンキーリングを示しながら緩やかに前進する。歩みを止めない少女に峰岸舞耶は苛立ちを隠さず宣告した。

「お前が攻撃をして来なくても私から仕掛けることはできるんだぞ」

「確かにそうでしょうね。あなたの異能力はどんな局面でも『先制攻撃』の状況を生み出せる――つまり逆説的に考えれば攻撃を受けることで自動的に『超反撃』が発生する。ただ無意識的な『超反撃』に頼らなくても標的を狙い撃てるということですよね？」

おまじないのように栗山さんは峰岸舞耶の異能力を言葉にする。

「そこまで理解しているなら近寄るな！」

「あなたは無抵抗な私に対して意識的に銃の引き金を絞ることはできません」

「ふざけるな！」

白銀髪の少女は銃口を突き出しながら吼えた。小柄な少女は臆することなく告げる。

「虐《しいた》げられてきた人が状況を覆すような力を手に入れたら、それまでの恨みを晴らそうとしても不思議ではありません。あなたは底を知らない悪意に怯えているだけ――」

次の瞬間、乾いた銃声が響いた。

放たれた弾丸は栗山さんの左腕を掠めて飛んでいく。二人の距離を考えれば狙いを外したというより当てるつもりがなかったのだろう。峰岸舞耶は微かに身体を震わせている。

「アッキー、これ以上は看過できない」

「頼む。もう少しだけ栗山さんに委《ゆだ》ねてくれ！」

「美月みたいなことをあまり言いたくはないんだが、もしその甘さが不死身特性に起因しているものなら、いつかアッキーの所為で誰かが死ぬことになるぞ。後悔したくないなら俺の忠告を忘れないことだ」

口論とは別のところで小柄な少女は白銀髪の少女に歩み寄る。

「今までよく一人で堪えましたね。だからもう泣いてもいいんですよ」

栗山さんに抱き締められた峰岸舞耶は子供のように震える。苛立つ博臣を僕はなんとか宥めておく。しばらくすると白銀髪の少女は訥々と語り始めた。

「急がないと……空が落ちてくる」

「空が落ちてくる？」

声に出したのは僕一人だったが、ほかの二人も疑問符を浮かべている。

「私の役目は……騒ぎを起こして……名瀬の幹部を……管轄下の外へ……誘《おび》き出《だ》すことだ。空が落ちるという……言葉を漏れ聞いただけで……意味まではわからない」

「なにをするつもりなのかは楠木右京と永水桔梗を問い質せば済むことだ。連中の向かいそうな場所に心当たりはないのか？」

辛抱が堪らなくなったらしい博臣が詰問する。

「地下から……工場跡地の外へ……出られる場所がある。もし人知れず……ここから脱出したいなら……そこへ向かっている……かもしれない」

峰岸舞耶から情報を聞き出した美貌の異界士は、外部の仲間に「白銀の狂犬」が戦意喪失していることを伝える。どうやら治療と協会までの連行を任せるつもりらしい。通信を終えた博臣は栗山さんに向き直る。

「美月を救出するまで協力してもらえるか？」

「もちろんです。急ぎましょう！」

結論から言えば峰岸舞耶の読みは完全に正解だった。逃亡中の楠木右京と永水桔梗を工場跡地内の地下で発見したのである。最初に口を開いたのは瞳に憤怒を宿した博臣だった。

「美月はどこにいる？」

「生きている前提で問うのだな」

「これだけ手の込んだ図面を引く奴が、無意味な殺しなんてするわけがないさ。美月は役に立つかも知れない人質だからな。その価値がなくなるまで絶対に処分なんてしない」

美貌の異界士は一言一句を強調しながら語を紡いでいく。まるで自分自身に言い聞かせているようで、その姿は痛々しいほど悲壮感を漂わせている。

「今この場で美月の安全を約束するなら、これまでの非礼を許すくらいに俺は寛容だぞ」

「それでは本気の戦いが望めぬではないか？」

「……貴様……」

博臣は和装の異界士に怜悧《れいり》な視線を向ける。

「上層部は一目置いているみたいだが、妖夢を匿《かくま》うような連中は信用できない。この場で俺が名瀬に引導を渡してやる」

「敗北フラグを立てるのはそれくらいにしておけ」

「そう焦るな。妹の身を案じて手を抜かれても面白くない」

和装の査問官は後方に控える扉を指し示した。

「倉庫の中に閉じ込めている。助けたければ俺を倒せばいい」

「ああ――わかった。お望み通り手加減はしない。全力で潰しにいくから覚悟しろ」

この口論を聞いて妙な違和感を覚えた。その正体を永水桔梗の突っ込みが教えてくれる。

「あーあ。人質の命を握っているアドバンテージを放棄するなんて、ほんと右京さんは策略家に向いてない馬鹿正直者だよ」

僕は傍らで臨戦態勢の栗山さんに耳打ちする。

「演技には見えないよな？」

「どういうことですか？」

「人質が後方の倉庫にいるように思わせる芝居ってことさ。本当はもう殺されている可能性もあるわけだろ？　扉を開けた瞬間に死体を発見することも考えられる」

「先輩……悪趣味です。よくそんな酷いことが思い浮かびますね」

「いや、僕じゃなくて連中の思考をトレースしただけだよ」

「でも頭の片隅にもないことはトレースできませんよね？」

なぜか小柄な少女に責められる僕だった。

「とにかく今は仲間割れしている場合じゃない。それはわかってもらえるよね？」

「もちろんです」

僕は栗山さんとの会話を打ち切り戦闘に役立ちそうな情報を提供する。

「刀使いの異能力はわからないが黒装束のほうはなんとなくわかる」

「本当か？」

美貌の異界士は怪訝そうな顔を向けてくる。

「ちゃんと把握しているわけじゃないけど、周辺の重力を変化させるみたいなんだよ」

「ふむ。未来ちゃん、楠木を任せていいか？　不本意だが永水桔梗は俺が止める」

「わかりました」

返事をしながら小柄な少女は左手の装飾を外して赤黒い刃を形成した。和装の男が構えた刀より小振りだが、栗山さんの生み出す得物に射程はない。数多《あまた》の異界士が畏怖する「悪魔の血」は誰にも止めることができないのだ。

「推《お》して参る」

「どうしても戦わなければいけないんですか？」

「俺の求める正義のためだ」

「妖夢は存在するだけで悪なんて――私は認めるわけにはいきません」

「それは血に纏わる一族としての感情から来るものだろう？」

「違います！　もっと個別に判断するべきだと主張しているんです！」

「なんでも構わないさ。俺はお前の意見を肯定も否定もしない」

和装の査問官は柄に手を添えた状態で姿勢を低く構える。早々に話を切り上げて臨戦態勢に入ったのだ。なんにでも優劣を付けたがるのも困ったものだが、個を見ることなく全で判断するのも相当に危険だろう。

「…………」

本能的に無防備は危ないと察したのか、栗山さんは無言のまま膝を落としていく。おそらく二人とも攻撃に特化した前衛異界士だろう。ゆえに勝負はほんの一瞬で着くかもしれない。

「どうして俺が最初から得物を見せているのか解せないみたいだな」

いつも積極的に仕掛ける小柄な少女が微動だにしていない。ひょっとして敵の武器を刀と考えていいか迷っているのだろうか？

「安心しろ。不意打ちは好みじゃない」

和装の査問官は駆け引きをすることもなく白状する。個より全を重んじる楠木右京の発言が真実なら、おそらく姑息な手段一式すべてを使用しないつもりだろう。

「その言葉を信じます」

栗山さんは左手首の傷口から鮮血を垂らして刃渡りを同等の長さに変化させていく。やがて完成した一振りを両手で構える。前衛異界士が放つ独特の間合いに雰囲気が飲み込まれていく。

僕は息を潜めて見守ることしかできない。

「改めて参る」

「…………」

栗山さんは両手を顔のやや右まで持ち上げる。これは八双という基本的な構えの一つで、どの方向から攻められても対応しやすい反面、素人目にも明らかな正面の隙が弱点となる。和装の査問官は地面を蹴り突けて一気に距離を詰めてきた。

「花蓮《かれん》」

楠木右京の放った一閃から花弁を散らしたような組成式が発生する。ちなみに組成式とは魔法陣に描かれている紋様のことだ。異形の紋様に小柄な少女は眉を顰《ひそ》めながら攻撃を受け止めた。和装の査問官は身体を反転させて第二の太刀《たち》を振るう。

「鳥飛《ちょうひ》」

突系の剣技を栗山さんは上体を後方へ倒して回避する。そのまま後方転回跳びの要領で楠木右京の突き出した腕を蹴り上げた。遠心力を利用した少女の身体は中空で綺麗に一回転して着地する。一連の流れで際どい場面は幾度となくあったが、最後まで下着が白日の下に晒《さら》されることはなかった。もちろん真上から戦闘を眺めていたら話は別だろうけどね。

「詰めが甘い」

反撃を受けた和装の査問官が体勢を立て直しながら吼える。性格からしてただの負け惜しみではないだろう。次の瞬間、鳥の羽根が舞うような組成式が展開。そこから化学反応を起こしたような現象が発生する。炸裂したかのように大気が瞬間膨張すると衝撃波を引き起こした。

「なっ！」

栗山さんは大きな瞳を見開いて驚きを表現する。前衛異界士の真剣勝負に口を挟むのは本意じゃないが、どちらの肩を持つかと問われれば考えるまでもないことだ。ほとんど反射的に僕は把握した情報を口にしてしまう。

「組成式を剣技で連携させているのか？」

しかし事実なら異能力で生み出した炎や氷や雷を剣に宿して戦う異界士とは根本的に性質が異なる。様々な属性を宿らせて技を放ってくる前衛異界士に対して、楠木右京は剣技を放つことで不可思議な現象を引き起こしているからだ。僕を倒そうと挑んできた異界士の中にも、こんな歪《いびつ》な異能力を有した存在は見たことがない。

「ご名答。この斬夢刀《ざんむとう》『焔《ほむら》』は俺の剣技によって様々な属性を錬成する」

和装の査問官は解説しながら悪鬼の如く笑みを浮かべる。刹那――下方から半円を描くように刀の軌道を変化させた。

「風祭《かざまつり》」

新たに現れた組成式から鎌鼬《かまいたち》が発生する。真空の刃は俊敏な栗山さんを捉えて切り裂いた。まるで引き寄せられるかのように僕は異界士の戦場へ駆け込む。半妖夢の存在など眼中になかったのか、楠木右京の第四撃が放たれる直前、僕の体当たりが決まって攻撃を中断させた。

「先輩！」

傷だらけの小柄な少女は破れた服を気にすることもなく突っ込んでくる。ほぼ同時に体勢を立て直した査問官がこちらへなにかを投擲《とうてき》してきた。もちろん避けようと努力するのだが、そんな動作は焼け石に水でしかない。

「邪魔ですから下がってください！」

鞭《むち》のように撓《しな》る赤黒い刃が甲高い金属音を奏でながら投擲物を弾き飛ばした。しかしすべてを撃墜できたわけではないらしく、その中の一つが僕の左頬を掠めて背後の壁に突き刺さる。いや、正確にはもっと酷い状態だった。十字手裏剣のような投擲物と壁の隙間に左手首が綺麗に挟まっている。つまりなんとかしないとその場から動けない有様だった。

正面では楠木右京と栗山さんの苛烈《かれつ》な戦闘が再開されている。

「えーっと」

視線を移すと別方向では美貌の異界士と黒装束の少女が熾烈《しれつ》な戦闘を繰り広げている。互いに直接的な武器を持たない二人だが、その攻防戦は得体の知れない迫力があった。小柄な少女と和装の査問官が卓越した剣技による前衛戦なら、博臣と永水桔梗の不可視の異能力は魔術戦に等しい。

黒装束の少女は上空から美貌の異界士を見下ろしていた。そこから傘を振り下ろす動作を見せると急激に重力が変化したのか、博臣を取り囲むように周辺の地面が音を立てて沈没していく。これは永水桔梗が遊んでいるわけではなく、難攻不落の檻が重力変動を無効化しているのだろう。

次の瞬間——黒装束の少女は傘を突き立てるように落下してくる。もちろん本来の何十倍もの重さになっているため、上空からの加速を伴った一撃は計り知れない破壊力を持つ。しかし博臣は悠然と右手を掲げて攻撃を受け止めてしまう。まるで大気が震えるような言葉で表現し難い感覚が広がっていく。

「なんかボク、君のこと嫌い！」

永水桔梗は地団太を踏むように足を叩き下ろしてくる。もちろん檻に阻まれて標的に届くことはないのだが、弾かれる反動に重力変動を合わせて再び上空へ飛ぶ。ここぞとばかりに美貌の異界士は地面を蹴り上げて追従する。ただの跳躍でも常人とは異なる高さまで飛翔するのだが、黒装束の少女もそれを見越しているため、刺繍の施された黒い傘を舞わせて強引に軌道を変化させた。

「もう！」

怒ったような声を発しながら永水桔梗は再び重力を操作する。みしみしと音を立てて地面に亀裂が走っていく。着地した博臣はこちらを一瞥して指示する。

「アッキー、ここは俺と未来ちゃんに任せろ。とにかく美月の安全を確認してくれ！」

「わかった！」

しかし僕の力では十字手裏剣を壁から引き抜けない。隙間に多少の遊びはあるのだが、左手を抜くには少し狭かった。とはいえ今ここで自由に動けるのは僕しかいない。一度大きく息を吸い込んで気持ちを落ち着かせる。下手に失敗すると心が折れてしまいそうだったので、とにかく精一杯の力を込めて僕は左手を引き抜いた。

「————————っ！」

声にならない焼けるような激痛が左手を襲う。嫌な汗が額から流れ落ちても一切無視する。極度の興奮状態を維持しなければ、とても耐えられそうにないからだ。

ともかく僕は戦場を突き抜けて目的地へ突っ込む。地下倉庫内には両手両足を縛られた黒髪の少女と、ぐったりと床に伏した新堂彩華の姿があった。僕は慌てて駆け寄ると右手だけで美月の口枷《くちかせ》を外す。ぷはっと大袈裟に解放感を表現すると少女は声を震わせながら訴えてきた。

「秋人……その手……どうしたの？」

「邪魔だったから……ちょっとだけ……肉を削ぎ落とした」

「いくら元に戻るとしても……そんなこと……普通じゃできないわよ」

だから僕は涙目の美月に宣言する。

「美月の身が危険に晒《さら》されて普通じゃいられなくなるのは博臣だけじゃないんだよ！　戦闘に関しては素人でも荒ぶる眼鏡好き突っ込み要員を舐めるな！」

「ごめんなさい秋人……意味がわからないわ」

「とはいえ僕じゃ査問官に手も足も出ない」

僕は黒髪少女の拘束を解きながら着物姿の異界士を確認した。ぐったりと倒れ込んでいるが命に別状はないだろう。僕は艶《なまめ》かしい格好をしている彩華の元へ駆け寄り声をかけた。

「彩華、おい、大丈夫か！」

「そんな大きい声……出さんでもええよ」

ふらふらと上体を起こした彩華は懐から胡桃《くるみ》のようなものを取り出した。握り潰して殻を割ると中の実を口へ放り込む。異界士の中でもかなり異質な存在なので、いちいち突っ込むと長引くので放置しておく。

「一服盛られたことに気が付かへんなんて……言霊の異能力……侮られへんかもしれへんわ」

「なんとか動けそうか？」

「完全に毒を排出するまで五分は要するかもしれへんね」

「くそっ……それじゃあ持久力の低い栗山さんが持たない。そうだ。なにか武器になりそうなものはないのか？」

「おすすめできる代物やないんやけど……この状況で贅沢は言うてられへんからね」

着物姿の異界士は言語と異なる文字の羅列を紡いでいく。描き出された黄土色の魔法陣から蜘蛛のような生物が誕生する。特に描写する必要もないが可愛らしさの欠片もない。

「なんだこれは？」

「宿主から栄養を吸収して生きる寄生虫の妖夢版というところやね。普通の人間には無害やけど神原くんなら飼い慣らせるやろ？」

「いやいや、妖力を低下させられたら再生能力が落ちるだけじゃないのか？」

「宿主の妖力を吸い尽くすまでは味方になってくれるんよ。神原くんが敵意を向けるだけで代わりに攻撃してくれるねん。とりあえず五分だけ時間稼ぎしてもらえへんかな？」

「わかった。ほかに使用上の注意は？」

「あらへんよ。ただ力尽きる前にこれを飲むことくらいやね」

「これは？」

差し出された小さな白色の実を受け取りながら僕は彩華に質問を投げかける。

「身体に宿した妖夢と分離する効果がある実なんよ。妖力を吸い尽くされたら再生能力が機能せえへんなって死ぬわけやからね」

「さらりと怖いことを言うなよ」

「せやけどそれくらいの覚悟はあるんやろ？」

着物姿の異界士は見透かしたように口の端を上げる。僕は肯定しながら蜘蛛みたいな妖夢を右腕に装着した。神経が麻痺していた左手の感覚も元に戻っている。

「美月、もし連中が彩華を人質にしようとしたときは頼む」

「わかった。なんとかしてみる」

戦場へ舞い戻った僕の瞳に移り込んだのは肩で息をする小柄な少女の姿だった。右腕の蜘蛛が敵意を感じ取ったのか巨大な円月輪《えんげつりん》に姿を変える。僕は彩華の言葉を信じて対峙する異界士二人の真ん中へ躍り出た。

「邪魔をするなら容赦はしない」

「先輩、下がってください」

今にも倒れそうなくせに栗山さんは生意気な声を上げる。その身体は軽い擦過傷《さつかしょう》から酷い裂《れっ》傷《しょう》まで見るに堪えない有様だった。だから僕はもう心配いらないと伝える。

「せめて今日だけは僕が戦う」

「怒りますよ？」

「怒りたいのは僕のほうだ！　いつもいつも一人で勝手に頑張るなよ！　たまには助けてください と甘えればいいだろ！　まったく頼りにされないのは――」

言い終わらないうちに楠木右京の一閃が放たれる。宿主を守るため身体を包むくらい巨大な円月輪が自動で刃を薙《な》ぎ払う。そこから開始された怒涛の連続攻撃にも完璧に対応する。

「なるほど……寄生型の妖夢を宿してきたか？」

「教える義理はないだろ？」

「その強がりが一体どれくらい持つか楽しみだ」

すぐさま斬撃による攻防戦が再開された。妖力を吸収されている所為か消耗の具合が普段と明らかに違う。しかも直接攻撃を食らっているわけでもないのに身体が軋《きし》む。倉庫を出てからまだ五分を経過していないのか？　眼鏡の似合う少女を眺めているときなんて一瞬で過ぎるのにさ。意識が朦朧としてくるがここで倒れるわけにはいかない。

「今日だけは眼鏡女子を守れる僕でありたい！」

妖夢が僕の感情に呼応したのか円月輪が薙刀《なぎなた》に変化して楠木右京の刀を弾き飛ばした。後方へ転倒した査問官の喉元へ切っ先を向ける。

「お前が妖夢を憎むのは自由だが、討伐できればなんでもありなのか？　彩華みたいに言葉を交わせる妖夢だっている。ただ妖夢だからという理由ではなくて、もっと個々を見るべきじゃないのか？」

「はははははははははははははははははっ！」

不意に壊れた笑い声を発した楠木右京は悪辣《あくらつ》な表情を浮かべる。

「その言葉を交わせる妖夢に両親を食い殺されたよ。奴は『妻と息子の命だけは助けてくれ』と懇願する父の前で母を嬲《なぶ》り殺した。先に話を聞かなかったのは妖夢だ……お前に俺を批判する権利などない」

「…………」

なにも言い返せなかった。過去に囚われているのは——なにも僕だけではない。

「そんな屁理屈を真に受ける必要なんてあらへんよ」

颯爽と現れた着物姿の異界士は右手を前方へ突き出した。言語とは異なる文字の羅列を紡いでいくと中空に緋色の魔法陣が出現する。

「不死鳥花よ、霊力を食い殺せ！」

その声に禍々《まがまが》しい紋様の描かれた魔法陣が呼応する。得体の知れない冷気のようなものが漏れ始めた次の瞬間、魔法陣から伸びた植物の蔦《つた》が二人の査問官を襲撃する。その異様な光景に博臣や栗山さんだけでなく、当の本人である楠木右京と永水桔梗まで瞳を奪われてしまう。

植物の蔦が和装の査問官と黒装束の少女、それぞれの全身を覆うように縛り上げていく。ほどなくして植物は可憐な花を咲かせた。しかしそれはほんの一瞬の出来事で、役目を果たした不死鳥花は消滅する。

「むむむ」

「あれ……ボクは一体なにをしていたんだろう？」

まるで憑《つ》き物が取れたように二人は状況を把握していなかった。

「おい、ふざけてるのか？」

美貌の異界士が熱戦を繰り広げていた黒装束の少女に怪訝そうな表情を向ける。身体への負担を軽減するため僕は白い実を飲み込んで妖夢を放出した。

「そういうわけやあらへんよ。典型的な言霊に願望を肥大化されたときの症状やからね」

「つまり楠木右京と永水桔梗の二人は妖夢を討伐したいという欲望を利用されたわけか？」

「なんだよそれ？」

僕よりも具体的な内容で美貌の異界士は疑問符を重ねる。

「まあ、そういうことやね」

「くそっ！　まんまと踊らされていたわけだな」

博臣は壁を殴り表情を歪める。査問官を黒幕に仕立てるという謀略は、なんとか未遂で収めたものの、これでまた振り出しに戻ってしまった。

「ちょっと聞いて頂戴」

携帯電話を掲げた美月が倉庫から血相を変えて飛び出してくる。

「こんなところで争ってる場合じゃないわ！」

「意味がわからない。きちんと順序立てて説明してくれよ」

『それは僕から説明したほうがいいだろう』

通話口から一ノ宮庵の声が響いてくる。

『これまで身を潜めていた峰岸舞耶が、どうしてこの時期に動き出したのか？　その理由がようやくわかった。凪の終わりに発生させやすい妖夢の覚醒を狙っているんだろう』

「妖夢の覚醒？」

耳慣れない言葉なのか美貌の異界士は単語を繰り返した。

『立ち入れば災厄が降りかかるなんて噂される場所に、実際、大物妖夢が棲み着いていたなんて話よくあるだろう？　同様に大規模な自然災害と凪の終わりに奇妙な関連性があるんだよ。要するに凪の終わりは妖夢が過敏になるみたいで、大人しく海底で眠っているような超大物級妖夢が、普段なら気にもしない刺激に反応して暴れるわけさ』

「それって『空が落ちる』という言葉となにか関係ありますか？」

僕の質問に師匠は即答する。

『大いに関係があるね。超大物級妖夢が無差別に大暴れすれば、天変地異が発生し、昼でも夜みたいに空が暗くなってしまう。この地獄絵図みたいな状況を『空が落ちる』と称しているんだよ』

「馬鹿げてる！」

「そんな……一体……どうすればいいの？」

憤りと不安を口にする僕と美月に一ノ宮庵は冷静に応じる。

『対抗手段は超大物級妖夢を覚醒させないことくらいだ』

「超大物級妖夢が潜伏している場所は特定できているのか？」

博臣が通話口に疑問符を投げかける。しばしの沈黙を経て指定場所が告げられた。

『僕の電子干渉能力に間違いがなければ、博臣くんのいる工場跡地から波長を感じる』

事態は急転直下で最悪な方向へ進む。

空が落ちる。

それは超大物妖夢を覚醒させることで発生する天変地異を指すらしい。対抗手段が未然に防ぐことくらいしかないのであれば、すべては時間との戦いになってくるのだろうか？　そもそもそんな無差別殺人のような出来事を起こして一体誰が得をするんだ？

「峰岸舞耶を知らないだと？」

「右京さんの言い方だと語弊があるかもしれないね」

驚嘆する博臣に永水桔梗が訂正を入れた。

「もちろん監察室が追跡している逃亡犯だから、そういう意味でなら当然知っているわけだけど、共謀して悪事を働くような深い関係じゃないよ」

「ということは……峰岸舞耶は誰の味方だ？」

零れ落ちた疑問符に戦慄が走る。逸早く事情を察したらしい美貌の異界士が指示を飛ばした。

「査問官二人は協会へ戻って最悪の事態に備えてくれ！　美月も同行して二人の疑いを晴らしてやってくれないか？」

「嫌よ。私だけ除け者にされるなんてごめんだわ」

「ふざけている場合じゃないだろ！」

「連絡なんて携帯で済むことでしょう？　ふざけているのは兄貴のほうだわ！」

「まったく……ああ……わかった。その代わり俺の傍から離れるなよ」

本当は美月を安全な場所へ避難させたいのだろう。ただ勝手に行動されるくらいなら目の届くところにいてくれたほうが安全という苦渋の選択に違いない。査問官二人の背中を見送った居残り組は黒幕の探索を開始する。

「本当に逃げるとしたら裏口なのか？」

「ああ――俺の予感が正しければな」

口数少なく美貌の異界士は地上へ向かう道を進む。

やがて進行方向に立ち塞がる二つの影が現れた。

「そんな……どう……して？」

藤真弥勒の傍らに立つ峰岸舞耶の姿を認めて栗山さんは信じられないというように呟いた。

苛烈な戦いを経て更正へのきっかけを掴んだと確信していたからだろう。だからこそ目の前に広がる光景を受け入れられないのだ。

「栗山さん」

僕は不用意に距離を詰めようとする小柄な少女の手を握り引き戻した。今現在敵方にいる状況を考慮すれば安易に近付くべきではない。栗山さんは納得し難い感情を悔しげに吐露した。

「どうしてそうなるんですか！　どうして……報われない……選択ばかり……私にはわかりません！　昨日まで無理だったとしても今日から改めればいいじゃないですか！」

「栗山さん！」

さっきより強い口調で僕は峰岸舞耶の名前を呼んだ。栗山さんの理解できないという気持ち以上に、僕は峰岸舞耶の選択に一種の共感を得ていたからである。

「傍観者の声なんて届かないんだよ」

幼少期に真城優斗と出会い救われた栗山未来は、それから二年前の伊波唯事件が発生するまで、即ち長期間に及ぶ平穏な生活があったわけで、そんな暮らしが少女の毒を浄化していたのかもしれない。二人の存在が仄暗い心の闇を、ゆっくりと濾過《ろか》していたのだろう。

例えば約一年前に名瀬の恩恵を受けた僕は、それまで誰にも救われることがなかったから、ほんの少しだけ峰岸舞耶の気持ちがわかる。おそらくこんな理解は——本来してはいけないものだろう。

ただ本質的な部分で悟ってしまっている。

真っ暗な闇の中で行き先もわからない。そんなとき誰かが手を差し伸べてくれたら、なんの迷いもなく握り返してしまうだろう。ところがそれまで沈黙していた傍観者が急に「その手を放せ」と声を揃える。

そんな声は聞きたくない。

これまで僕が困っているとき見て見ぬ振りをしてきたじゃないか？　それなのに誰かの手が差し伸べられた途端、なぜか否定的な意見ばかり出してくる。傍観者は傍観者らしく最後まで無関心でいてくれ。僕を助ける気がないなら、せめて邪魔もしないでくれ。

どうして無関係な奴の決定に口を挟む必要がある？　頼むからその気持ち悪い正義感を見せないでほしい。偽善者の声なんて当事者にはなんの意味も持たない。求めているのは状況を打破する術であって、糞の役にも立たない空々しい綺麗事ではない。だから僕は白銀髪の少女が下した決断を否定する気にはなれなかった。

本当はただ認めてほしかったのだろう。

私を救ってくれたのは傍観者ではなく藤真弥勒なのだ。

私には藤真弥勒より傍観者のほうが悪に見える。

歪んだ感情だが――僕には否定できない。

「爆破事件に真城一族の幹部が巻き込まれたのも最初から仕組まれたことなのか？」

「くくくくっ」

優男風の査問官は黒幕に相応しい邪悪な笑みを浮かべる。

「僕の計画を伝えたら二つ返事で協力要請に応じてくれたよ。名瀬に対して相当な恨みを持っていたんだろうね。話を詰めたいと呼び出した日も、なんの疑いも持たずに姿を現したよ。あ――もちろん計画の引き金になってもらうことは伏せていたんだけどね」

「爆破事件に真城幹部を紛れ込ませて、後日、査問官の特権を最大に利用したわけか？」

「おそらく僕が査問官じゃなくても誰かが動いていたさ。血に纏わる一族はそれだけで忌み嫌われる存在だ。安全地帯から弱い立場の異界士を叩いて点数を稼ぐ奴が必ず出てくる。世の中には他人の足を引っ張ることでしか地位を維持できない連中が五万といるからね」

「あんただって同じことをしているじゃないか？」

「なん……だと？」

藤真弥勒の表情が怒りに歪む。仲間の査問官を事件の首謀者に仕立て上げようと企てたこいつが、なぜこのような策謀を巡らせたのかなんとなく理解できてしまった。

「峰岸舞耶や栗山未来といった立場の弱い異界士を利用して、立場の強い誰かの足を引っ張ろうとしているんじゃないのか？」

「お前に……なにがわかる」

査問官の瞳に仄暗い憤怒が宿る。明らかに常軌を逸した感情だった。

「なにもかも今日で終わる。随分と待ち焦がれてきた瞬間だが、そのときがくれば呆気ないものだな。空が落ちれば名瀬泉の信頼は無に帰すだろう」

空が落ちる――超大物妖夢の覚醒により引き起こされる天変地異。

しかしなぜ名瀬泉の信頼が無に帰すのだろうか？

「どうして泉さんの名前が出てくる？」

「名瀬泉の失脚が僕の望みだからさ。今日ここでそれが実現できる」

「そんなことのために空を落とすのか？」

「そのために長い期間をかけて準備をしてきたんだからね」

「ふざけるな！　そんなことをしたら泉姉への復讐どころじゃなくなるだろうが！」

「後始末は名瀬家が命を賭《と》して全うすればいいさ」

正気の沙汰ではない。

風化されることのない憎悪。

僕にはその正体がわからなかった。

どうしてここまで名瀬泉を憎むことができるのだろうか？

「弥勒さん」

ふと白銀髪の少女が査問官へ哀しげな視線を向けた。その瞳に宿された感情が最も単純明快な回答を導き出してくれる。無関心でいられない理由はなにも憎しみだけではない。

「好き……だったのか？」

もしそうなら異常な執念も簡単に説明できてしまう。愛が憎しみに変わろうと意識していれば結果は変わらない。名瀬泉に囚われた心を解放することは容易ではないのだろう。

「……黙れ……」

しかしその言葉に拘束力はなかった。

「世の中なんて不条理なことばかりだ。例えば博臣と一緒に電車移動しているとき女子高生は口を揃えて『格好いい』と噂していた。おそらく博臣が『眼鏡をかけろ』と言えば、我先にと率先して眼鏡をかけ始めるだろう。それなのに僕が同じ台詞を口にすれば『変態』と罵られるだけだ。仮に博臣がその女子高生の尻を撫で回しても『きゃあエッチ』で済むかもしれない。しかし僕が同じ行為に及べば『この人、痴漢です』と駅員に突き出されて即裁判だ」

さらに僕は言葉を連ねる。

「あれだけの美貌と経歴を持った二ノさんでさえ人生思い通りにいかないんだ。それでも立ち位置を模索しながら賢明に前を向こうとしている。ところがお前は復讐なんてくだらないことに無駄な時間を費やしてばかりで、ちゃんとお前のことを心配してくれている人に目も向けていない。なにも人類未踏の山岳地帯にいるかもしれない架空の存在を例に出しているわけじゃない——ほんの少し憎しみから視線を外して右や左を見るだけで充分映り込んでいたはずなんだよ。だからこそ僕はお前の救いようのない鈍感さが一番腹立たしい！　名瀬泉の幻想に踊らされて大切なものがなにも見えてない」

僕は大きく息を吸い込んだ。

「この大馬鹿野郎が！」

刹那——ぱぁんと甲高い銃声が響く。

左足の太股が焼けるように熱くなった。その直後に激痛が走り立っていられなくなる。地面へ崩れ落ちる僕に藤真弥勒は銃口を向けたまま告げた。

「今なら殺せるらしいが、ここで殺したりはしない。君には一仕事してもらわないといけないからな。その後は後ろ盾のいなくなった世界で彷徨《さまよ》いながら死ね」

「一体……どういう……ことだ？」

「名瀬が飼い慣らしている君に大暴れしてもらうのさ」

その場に居合わせた全員の視線が集まる。ぐわんぐわんと頭が割れるように痛み始めた。一人だけ事情を知る博臣は悲痛な叫び声を上げる。

「やめろぉおおおおおおおおおおおおおおおおおーっ！」

しかし藤真弥勒は酷く冷たい声で命令を下した。

「舞耶、そこの女二人を殺せ」

「…………」

白銀髪の少女は儚げな表情で藤真弥勒を振り仰いだ。

「心配するな。長い時間をかけて中和用の干渉結界を張り巡らせたんだ。瞬間的になら僕の力で檻を抑止できる。それにここで起こった悲劇はすべて右京と桔梗の背信行為だと外の連中に刷り込んである」

「そういうことではなくて……なぜ二人を殺さなければならないんですか？」

「どうしてそんなことを気にする？　いつも通り僕の指示に従っていればいい」

「…………」

「さあ、早く始末しろ！」

優男風の異界士は本性を表すように声を荒げた。その迫力に僕は頭を抱えながらも意識を集中させる。困惑している黒髪の少女や小柄な少女も臨戦態勢を取った。

「弥勒さん……その指示には従えない」

「僕は殺せと言っている」

「…………」

覚悟を決めたように峰岸舞耶は数歩こちらへ歩み寄る。美月と栗山さんの表情が瞬間的に強《こわ》張《ば》る。しかし白銀髪の少女は銃を構えることなく向きを変えた。

「今回だけは……弥勒さんの指示に従えない」

その言葉に張り詰めていた緊張感が緩む。

誰もが平和的な大団円を迎えると感じたのだろう。

「舞耶、撃て」

刹那――ひゅんと空気を切り裂く音が聞こえた。

まるで重力に抵抗することを忘れたかのように、栗山さんの小さな体躯が膝から崩れ落ちていく。あまりにも一瞬の出来事で、事態を理解するのに時間を要した。

「な……んで……こんなことに？」

無意識に発砲していたのか峰岸舞耶は身体を震わせている。どんな手段を用いたのかわからないし、思考が乱れて正しい表現も浮かばない。ただ一つだけ確かな感情は藤真弥勒への殺意だった。

「アッキーッ！」

遠くで僕を呼ぶ博臣の声が聞こえた。しかし意識が混濁していて方向も距離もわからない。最後に見た光景は白銀髪の少女が涙を流している姿だった。

◇◇◇

破壊衝動だけが僕を支配していた。

「グォオオオオオオオオオオオオオオオオオオオーッ！」

肉体の変化に合わせて全身から禍々しい瘴気《しょうき》が漏れ出していく。耐性を持たない普通の人間には、少量でも致死量に達する猛毒だ。腕を振るえば瘴気を纏《まと》った衝撃波が障害物を薙《な》ぎ払い腐敗《ふはい》させる。父親から受け継いだ膨大な妖力が凶暴性に拍車をかけていく。

普段の僕が人間に近い半妖夢の人格なら、こいつは妖夢に近い半妖夢の人格だろう。

僕であって僕ではない存在。

だから記憶は共有していても、今の僕には、指先一つ動かす権限もない。

誰にも知られたくなかった僕の正体である。しかも負の感情をこいつが引き受けてくれるから、僕自身はとても穏やかな気持ちになれてしまう。まるで母親の胎内にいるような、不安や心細さとは無縁の、安らげる場所を与えてもらえる。

「グォオオオオオオオオオオオオオオオオオオオーッ！」

野獣と化した僕は破壊の限りを尽くしていく。撥《は》ね退けられて壁に背中を強打した藤真弥勒は苦鳴を漏らす。しかしその表情は異常なまでに恍惚《こうこつ》としている。目的を成し遂げた達成感に満ち溢れているのだろう。

「くく……盛大に暴れろ」

「神原くん、未来ちゃんなら大丈夫やよ！」

着物姿の異界士は横っ腹から多量の血液を垂れ流している小柄な少女を抱き上げて訴えた。

しかしその言葉が届かないことを理解している博臣は、不可視の干渉結界を文字通り檻として使い、爪と牙を生やし獣人化していく僕の身体を拘束する。

「全員ここから撤退しろ！　俺一人じゃ長くは持たない！」

「グォオオオオオオオオオオオオオオオオオオオーッ！」

宣言した傍《そば》から暴走する僕の身体を制御し切れていない。退却命令を出された皆の反応も鈍くて話にならない。黒髪の少女は足が竦《すく》んで身動きが取れないみたいだし、白銀髪の少女は地面に膝を突いて茫然自失している。栗山さんも一命は取り留めたみたいだが、完治には遠く及ばず、立ち上がるだけで精一杯という様子だった。

そんな中、着物姿の異界士が言語とは異なる文字の羅列を紡いでいく。地面に出現した禍々

しい黒色の魔法陣から得体の知れない触手が伸びる。なんとも不気味な生命体が檻の上から僕の身体を拘束した。

「おいおい……協力してくれるのか？」

「そうやない。個人的に神原くんを助けたいだけやよ」

「それは名瀬の失脚より優先すべきことなのか？」

「わからへん。ただ後悔はしたくあらへんからね」

名瀬家と新堂彩華に纏わる遺恨なんて僕にはわからない。

ただ二人の力を持ってしても獣人化した僕を止めることは不可能だった。

「グォオオオオオオオオオオオオオオオオオオオオオオオオーッ！」

僕は触手を引き千切り檻を力尽くで粉砕する。弾き返された干渉結界の衝撃で、博臣と彩華は後方へ吹き飛ぶ。壁に衝突して停止した二人は負傷しながらも立ち上がる。

「せめて凪やなかったら……なんとかなったかも……しれへんのやけどね」

「泣き言を漏らす暇があるなら美月と未来ちゃんを連れて逃げろ」

美貌の異界士は再び檻を展開して瘴気を放つ僕の身体を拘束した。

「くくっ……勝った！　僕は名瀬泉より優れている」

半分壊れたように藤真弥勒は不敵な笑みを浮かべる。空が落ちるなんて大それたことじゃない。名瀬泉が直々に監視下へ置いた半妖夢の僕を暴走させることで責任を取らせるつもりなのだろう。散々奔走させられた挙句、最後は引き金になるなんて、これ以上の皮肉は存在しない。

「あの馬鹿……野郎が……くそっ！」

「ふはははは、正義が勝つんじゃない。勝ち残った奴が正義なんだ」

「その考えは私も嫌いじゃないわ」

まるで前口上は終わりとばかりに、脇役の役目を見届けた主役のように、長身痩躯《そうく》の美女は悠然と姿を現した。長い黒髪を掻き上げながら名瀬泉は澄ました顔で告げる。

「逆恨みで名瀬に手を出すなんて馬鹿ね。全力で叩き伏せてあげるわ」

「お前に……一体なにがわかる」

藤真弥勒の瞳に憤怒の色が帯びていく。名瀬泉は実弟を見やり微笑みかける。

「博臣、よく頑張りましたね。もう大丈夫ですよ」

次の瞬間、これまでと異なる強大な圧力が僕の身体を支配した。美貌の異界士は胸を撫で下ろしたように微笑して背中を壁へ預ける。悪魔のような形相で黒幕の青年は吼えた。

「ふざけやがって！」

「異界士の掟も守れないあなたにだけは言われたくないわ」

「名瀬泉の代役で査問官になった僕の気持ちが……いつまで経っても代役でしかない僕の気持ちが……名瀬泉が査問官になると言えばお払い箱になる僕の気持ちが……いつも名瀬泉の影に怯えている僕の気持ちが……お前なんかにわかって堪るか！」

藤真弥勒は峰岸舞耶の回転式拳銃を拾い上げて撃鉄を起こす。

「この銃の弾丸には干渉結界を破壊する言霊が込められている」

その言葉を聞いても長身痩躯の美女は顔色一つ変えない。

「名瀬家の崩壊を見せられなくて残念だよ。死ね」

しかし放たれた弾丸は檻に減り込むことなく弾け飛んだ。武器を持たない名瀬泉は一瞬で距離を詰めるとニノさんばりの上段回し蹴りを放つ。見事な脚線が査問官の即頭部を捉えて脳を揺さぶる。もちろん一撃で満足しない黒髪の美女は第二撃として肘鉄を鳩尾に打ち込む。呼吸の止まるような一発を受けて藤真弥勒はその場に崩れ落ちた。

「これで誰が正義かわかったでしょう？」

復讐に滾《たぎ》る査問官は唇から流れる血を手の甲で拭う。それから地面を激しく叩き突けて、ふらふらとした足取りで立ち上がる。優男風の容姿は今や憤怒に歪み見る影もない。

「名瀬……泉……才能に恵まれた貴様に僕の気持ちなんてわからないだろう。どんなに実績を重ねても協会の上層部は名瀬の懐柔ばかりに目を向けて僕を認めようとはしない。ただ檻の使い手というだけで……お前が存在する限り僕は……くそっ……くそっ……畜生めーっ！」

咆哮する藤真弥勒を名瀬泉は睥睨と見据えていた。しばらくすると救いようのない愚か者を見下すかのような口調で告げる。

「そんなことだから評価されないのよ。異界士なんて所詮は狩るか狩られるかの世界でしょう？　わからない奴にはどちらが格上か実力で示せばいい。もっとも野生の牙を失くした養殖異界士には想像も及ばないことでしょうね」

「ふざけるな！　協会を敵に回して異界士の世界で生きられるわけがない！」

「弱い者を威嚇して強い者には尾を振るなんて典型的な犬ね」

「黙れっ！」

手負いの査問官は連続で引き金を絞り残弾を撃ち尽くした。しかしそのすべてが干渉結界に撥ね退けられる。博臣の檻を破壊した魔弾でさえ、名瀬泉の生み出す檻には通用しない。あるいはなにか別の理由が存在するのかもしれないが、現象だけ読み解けば、美女の異能力は他の追随を許さないほど突出していた。

「そろそろあなたの戯言も聞き飽きたわ」

「名瀬……泉……絶対に越えてやる」

回転式拳銃を投げ捨てると藤真弥勒は胸元から万年筆を取り出した。それを右手で突き出すように構えて、その下に左手を添えながら言葉を紡いでいく。

「これは名瀬泉の生み出す檻さえ貫く世界に一つしか存在しない大口径の拳銃だ」

なんの変哲もない万年筆から静電気のようなものが発生する。ばちばちと輝く光が万年筆を包み込んで別の形状に変化させていく。物理的にありえない現象を見慣れたつもりだったが、これまでと異なる出来事に驚きを隠せなかった。

「なんだ……あれは？」

博臣が僕の疑問を代弁してくれる。

「強力な自己暗示で虚を実に変えているのよ。困ったものね。ここにきて言霊使いの真骨頂に到達するなんて――くだらない小細工を張り巡らせるより強硬手段のほうが面白いじゃない」

「その余裕が気にいらないんだよ！」

次の瞬間――輝きの中から姿を現した漆黒の拳銃が火を噴いた。音速を超越した弾丸が名瀬泉に襲いかかる。しかし標的を捉える直前に鉛玉は跳弾したかのように軌道を変えた。

「くそっ！　くそっ！　くそっ！」

喚きながら藤真弥勒は生み出した拳銃の引き金を絞る。しかし放たれた弾丸はすべて不可視の壁に行く手を阻まれてしまう。ふと不敵な笑みを消して名瀬泉は真顔になった。

「それがあなたの限界みたいね」

「黙れ黙れ黙れ！」

何度も何度も引き金を絞る動作を繰り返すが、言霊使いの構えた拳銃から発砲されることはない。どうやら弾切れを起こしているらしかった。

「あなたの常識が檻を貫ける弾丸なんて存在しないことを認めてしまっているのよ。実在しない拳銃が弾切れを起こす現象も然りね。もし私が言霊を使えるなら世界を七日間で滅ぼす兵器さえ生み出してみせるわ」

「そんなこと……不可能だ」

「そうやって限界を決める愚かさを今証明したばかりでしょう？　だからあなたは名瀬泉に適わない。己の能力を信じられない藤真弥勒は私の前に屈する」

まるで言霊を紡ぐかのように黒髪の美女は藤真弥勒に語りかける。そんな能力を持ち合わせていないことは明白なのに、どういうわけか実際にそうなりそうな迫力があった。

「苦しまないよう一発で葬り去ってあげるわ」

宣言するが早いか名瀬泉は右手で眼前の空間を捻り上げる。すると藤真弥勒の手が操られたように動いて自身の口へ銃を突っ込む。がくがくと全身を震わせている様子からして、それが意思ではなく強制されたものだと認識できる。

「待ってください！」

それまで茫然自失状態だった峰岸舞耶が黒髪の美女へ訴える。

「グォオオオオオオオオオオオオオオオオオーッ！」

身動きの取れない僕の咆哮《ほうこう》が虚しく反響していた。

◇◇◇

「泉さん！」

「なにかしら？」

僕の呼びかけに名瀬泉は面倒くさそうに応じた。しかし無視しないということは、おそらく会話の機会を与えてくれたのだろう。だから僕はなるべく手短に用件を伝えることにした。

「藤真弥勒を殺さないという選択肢はありませんか？」

「誰彼構わず助けるなんて美徳でもなんでもないわよ？　選別という残酷さを秘めているからこそ美も徳も価値が生まれる。代わりのいない誰かだからこそ意味があるのであって、誰でも助けるのなら、あなたのことを少々買い被り過ぎていたかもしれないわ」

「泉さんにとって僕の価値なんて最初から皆無でしょう？」

「そういう軽口を叩くところは嫌いじゃないわ。ただ今日はやるべきことが立て込んでいるから戯言は終わりよ。くだらない正義感は引っ込めておきなさい」

そう切り捨てられたので僕は素直な気持ちを述べる。

「僕は誰でも助けたいわけじゃない。虐げられている峰岸舞耶に救いの手を差し伸べた藤真弥勒は、少女が極限状態に追い込まれるまで見て見ぬ振りをしていた連中と比べて、本当に生きることさえ許されない愚かな存在なんでしょうか？　少なくとも僕にはそう映らない」

僕は語調を強めて言葉を連ねていく。

「峰岸舞耶にとって藤真弥勒は英雄だったに違いありません。例えば栗山未来に救いの手を差し伸べた真城優斗と異なるとしたら、それは現状を打破する武力を与えただけで正しい道へ導かなかったことでしょう。誰もが知らない顔をする中で一人の少女を見捨てなかった青年に、更生する機会を一度も与えないことは妥当なんでしょうか？」

「あはははははははははっ！」

唐突に黒髪の美女は場違いな笑い声を上げる。左手で涙を拭う素振りを見せながら右手を動かして藤真弥勒の口へ突っ込まれていた拳銃を引き抜いた。そしてそれを僕のところへ放り投げさせる。

「なっ――どういうつもりですか？」

反射的に拳銃を受け取った僕は意図がわからず名瀬泉を見やる。黒髪の美女は悪鬼の如き笑みを湛《たた》えながら僕との距離を詰めてきた。

「そこまで肩入れするならあなたが身代わりでも構わないわ。その回転式拳銃には三発の実弾が込められている。弾倉は六発装填だから確率は二分の一になるわね」

僕は一人で納得している長身痩躯の美女に問いかける。

「弾層に弾を詰める時間なんてありませんでしたよね？」

「あなたが持っているそれ、元々はただの万年筆でしょう？　だから意識の持ちようでいくらでも調整可能なのよ。信じるか信じないかはあなたの自由だけど、銃口を誰に向けて引き金を絞るかは真剣に考えなさい」

「一体……なにを考えているんですか？」

「なにも考えていないわ。ただあなたを試しているだけだもの」

「ちょっと待ってください！　どうして僕は試されているんですか！」

突っ込む僕に名瀬泉は酷く穏やかな声で告げた。

「救うべきは誰なのか？」

「はい？」

「もし二分の一で空砲を引き当てたら誰も死なない。もし二分の一で実弾を引き当てたら銃口を向けられた人が死ぬ。あなたは藤真弥勒を守るために自分自身の頭へ銃口を向けられるかしら？　私に大口を叩くならそれくらいの覚悟は当然よ」

それは性格が破綻している者しか提案しないであろう究極の二択だった。この駆け引きの厄介なところは「二人とも生き残れる可能性がある」という点だろう。つまり銃口を向けられても二分の一で助かるし、向けられなかったほうは確実に助かる。とても藤真弥勒を殺そうとしていた人物の提案とは思えない大甘な裁量だった。

だからこそ僕は名瀬泉の底知れぬ悪意を認識してしまう。遥かな高みから僕の器量を試しているのだ。僕は妙に重量感のある黒い拳銃を眺める。妖力の低下する凪という現象を体験したことで、僕は死を概念として把握するだけでなく、得体の知れない畏怖として認識することができた。だから不死身だったとしても銃口を自分自身へ向けて撃つ勇気は簡単に持てなかっただろう。しかも今は完全な不死身でさえない。即死するような致命傷を受ければ身体が再生されることはないだろう。

「あまり待たせないでほしいわね」

名瀬泉の声が重く圧《の》しかかってくる。僕は拳銃の引き金に指をかけて持ち上げた。しかしその銃口をどこへ向けるべきか決め切れない。どうしてこんな状況になっているのかさえ記憶が曖昧になってきた。ぐるぐると思考が迷走して吐きそうになる。

「あああああああああああああああああああああーっ！」

僕は絶叫しながら拳銃を手から放した。地面に落下した黒い物体が鈍い音を立てる。唐突に流れ始めた涙が頬を伝って顎先から零れ落ちた。

「あなたの正義感なんて所詮はそんなところでしょうね」

黒髪の美女は地面に落ちた拳銃を拾い上げる。流れるような動作で銃口を藤真弥勒の額へ向けた。その行為を今の僕は非難することができない。しかし確実な死から半分の確率で生き残れる道を用意したのだ。それはそれで誇るべきことじゃないのか？

否——そんなことだから名瀬泉に鼻で笑われてしまうのだろう。栗山さんも命をかけて戦っているのだ。僕だけ安全な場所で綺麗事を語っていても始まらない。

「泉さん、勝負するのは僕だ」

僕は黒い銃身に手を添えて訴えかける。やれやれという風な表情を浮かべて名瀬泉は銃口を僕へ向け直した。全身から嫌な汗が滲み出て決意を揺るがしていく。とはいえ短時間に二度も醜態を晒すわけにはいかないだろう。

「別れの挨拶は大丈夫？」

「そんな時間を頂けるんですか？」

「冥土の土産を聞いてあげる美学くらい持ち合わせているわ」

お約束の常套句を経て名瀬泉は引き金を絞った。

火薬の爆発する甲高い炸裂音が静寂を破る。衝撃や痛みを認識するより先に目の前が暗転した。額を撃ち抜かれた僕の身体が後方へ倒れ落ちていく。この時点で強烈な違和感を覚える。なぜなら視界に映り込む俯瞰《ふかん》風景に僕自身がいるからだ。

これが俗にいう死後の世界なのだろうか？　とにかく僕は現世の出来事を見下ろすように眺めた。硝煙を燻《くゆ》らせる拳銃を下ろして名瀬泉は藤真弥勒を見やる。

「あなたのために命をかけてくれる馬鹿がいて助かったわね」

「………………」

優男風の査問官は呆然と僕の死体を眺めていた。おそらく目の前で起こった事態を脳が整理できていないのだろう。しばらくすると栗山さんがこちらに走り寄ってきた。

「先輩っ！」

小柄な少女は完全に事切れている僕の身体を抱き起こす。ぐったりと脱力した肉体は再生する気配を見せない。それがなにを意味しているか栗山さんも理解したのだろう。

「いやぁあああああああああああああああああああああああああああーっ！」

絶叫しながら号泣する少女に僕は言葉をかけてやることもできない。栗山さんの笑顔を見たいのにいつも泣かせてばかりだ。そもそも二分の一で助かる状況で外れを引くところが道化なんだよな。物語の主人公は天文学的な確率でも当たりを引くのにさ。

「どうして……こんな……ことが……できる？」

成り行きを静観していた峰岸舞耶は声にならない声を絞り出す。眼前では小柄な少女が死体を抱き締めて泣き伏している。名瀬泉は白銀髪の少女に淡々と疑問符を投げかけた。

「こういうのも偽善者と呼ぶのかしら？」

「こんな……馬鹿なことが……あるわけない」

白銀髪の少女は首を左右に振る。狂乱の世界で黒髪の美女は断言した。

「目の前に広がる光景以外に真実なんて存在しないわ」

「どうして……こんなこと……できるんだよ」

「あなたの理解者が一人じゃないことを証明したかったんじゃないかしら？」

「そんなことで命を賭けられるわけがない！」

「そんなことだから命を賭けられたのかもしれないわ。神原秋人は孤独を知っている。誰かに拒絶される怖さを身を持って体験しているのよ。だから藤真弥勒を通して峰岸舞耶へ救いの手を差し伸べた」

「嘘だ嘘だ嘘だ嘘だ嘘だ嘘だ嘘だ嘘だ嘘だ嘘だ嘘だ!」

頭を抱えながら白銀髪の少女は否定の言葉を繰り返す。その姿に数々の異界士を退けてきた狂犬の面影はない。今にも泣き出しそうな脆《もろ》くて儚《はかな》い峰岸舞耶の本質が確かに垣間見えた。

「神原秋人と交わした約束により私は藤真弥勒と峰岸舞耶の命を保障する。それでもあなたは命を賭してまで救いの手を差し伸べた理解者の想いを無駄にするのかしら?」

白銀髪の少女は膝から地面に崩れ落ちる。それは逃亡する機会を放棄したわけで、つまり事件の収束を意味していた。しかし今度は栗山さんが名瀬泉に質問を投げかける。

「もし先輩の気持ちを確めるだけなら、すべて空砲でもよかったんじゃありませんか?」

「そうかもしれないわね」

黒髪の美女は事も無げに肯定した。それを聞いた小柄な少女は僕の身体を丁寧に地面へ寝かせて立ち上がる。泣き腫らした顔に憤怒の感情が宿り始めた。

「それならどうして先輩を殺す必要があったんですか?」

「私の機嫌を損ねたからよ」

「はい?」

栗山さんは頭の上に疑問符を浮かべる。名瀬泉は口の端を吊り上げながら髪を掻き上げた。

「もっと直接的な表現を使いましょう。あなたの『悪魔の血』と称される異能力に少しだけ興味があったのよ。だから仇討ちの機会を与えてあげる。この場限りならどんな攻撃をしてきても構わない。仮に私が命を落とすことになっても不問にしてあげるわ」

「不愉快です」

小柄の少女は端的に吐き捨てると血液の刃を形成していく。栗山さんを制止すべく大声を出そうとするが、ふわふわと宙に浮かんだ身体は自由にならない。どれだけ激しく抗《あらが》っても肉体を持たない僕に物理的な現象は起こせなかった。

「先輩が生きていたら私を止めると思いますか？」

「止めるんじゃないかしら？」

「それなら先輩がいないことを後悔してください」

「随分と大口を叩かれる日のようね」

余裕綽々の名瀬泉に小柄な少女は刃の切っ先を向ける。そしてそれを喉元へ突き立てようとするが、不可視の障壁に阻まれて届かない。もちろんこうなることを充分に想定していたから、攻撃しても構わないという挑発に乗ったのだろう。僕の仇討ちとはいえ栗山さんが誰かに手を下すわけがない。それがどれだけ愚かな行為か思い知っているからだ。

「私を失望させないでくれないかしら？」

「…………」

「全力で攻撃できる大義名分を与えてあげたのだから遠慮する必要はないわ」

「あなたは私を怒らせるために先輩を殺したんですか？」

「まあ、当たらずも遠からずかしらね」

「そんなことのために……一体なにを考えているんですか！」

吼える小柄な少女に名瀬泉は煽り文句を重ねる。

「私を殺しても神原秋人は戻って来ない——そんな正義感に溢れた思考を忘れさせてあげましょう。もし私を殺すことができれば神原秋人は生き返るわ」

「ふざけないでください！」

理不尽な妄言を繰り広げる黒髪の美女を栗山さんは断罪する。武器を持つ手にも力が籠もり血液で形成された刃が原型を崩して歪む。

「ここまでお膳立てしてあげても手を下さないつもり？　あなたの神原秋人を想う気持ちは所詮その程度だったのね」

その言葉が小柄な少女の理性を完璧に崩壊させた。普段からは想像もできない双眸《そうぼう》が眼前の標的を睨む。その圧倒的な視線こそが血に纏わる一族の本質なのかもしれない。刀状の刃が巨大な鎌へと形を変化させていく。まるで死神の持つ黒鎌のような得物を栗山さんは大きく振り上げた。

「あらあら」

死の危険に怯えるどころか名瀬泉は嬉しそうな声を漏らす。小柄な少女の狂気に興味津々という具合だった。全身を使って振り下ろされた巨大な鎌は、しかし黒髪の美女を捉える直前で停止する。金属が衝突したときのような甲高い音が周辺に鳴り響いた。

「あなたの矛では私の盾を貫けない。ただし今後もそうであるかはわからない。それとも今現在も本気を出していなかったりするのかしら？」

栗山さんは再び死神の鎌を振り上げると、今度は旋回して遠心力を加えた一撃を放つ。檻との衝突時に発生する破壊力は計り知れないだろう。事実、甲高い金属音に合わせて不可視の壁がぐにゃりと歪んだような錯覚を体験した。

「まあ、こんなところでしょうね。遊びはこれくらいにしておきましょう」

無傷の名瀬泉は微かに微笑む。次の瞬間、僕の意識が暗転する。

「栗山さん……僕なら大丈夫だからさ」

「先……輩？」

黒髪の美女と対峙していた栗山さんは目を白黒させながらも僕に歩み寄ってくる。藤真弥勒は相変わらず呆然としたままだが、峰岸舞耶は「よかった」と安堵の息を漏らしていた。超常現象でしかない事態だが、僕はこれに近い出来事を一度経験している。

檻を極めた者だけが使用できる白昼夢という現象だ。本当はもっと早く気が付くべきだったのだろう。僕が名瀬泉に呼びかけたとき美月や博臣や彩華の姿がなかった。必要な四人だけに黒髪の美女は夢を見せたに違いない。

だから本当の僕は今もまだ獣人化していて檻に拘束されているのだろう。

もう一人の僕に身体の主導権を渡しても、精神を別世界に呼び出して試練を与える。

それでも今回は名瀬泉に感謝すべきなのかもしれない。復讐という悪循環を繰り返さないためにも峰岸舞耶は藤真弥勒の死によって解放されるべきではないのだ。


どれくらい経ったのだろう。

どうやら自我を取り戻したらしい僕は周囲を確認する。

すでに事件は解決していて、戦闘による危険は感じない。

「アッキー」

声に釣られて振り向くと博臣が着ていた服を脱いで投げてくる。どうやら僕の衣服は破れ放題で、公共の場に相応しくない、酷い状態になっているらしかった。ふと視線を美貌の異界士へ戻すと、傍らに立つ黒髪の少女が一歩後ずさる。

明らかに怯えられている。そんな光景を目の当たりにして僕の中に眠る感情が爆《は》ぜた。

「うぁあああああああああああああああああーっ！」

「先輩！」

その場から逃げ出そうとした僕に小柄な少女が追い縋《すが》る。気持ちとは裏腹に僕は栗山さんの手を振り払う。もう二度とあんな辛い体験はしたくない。しかし駆け出そうとした僕の身体は、後輩女子に抱き止められてしまう。

かつて僕には他愛ない会話をしながら駄菓子屋で購入した商品をシェアする仲良し五人組がいた。二年後に中学校へ進学しても、おそらく今の関係は壊れないだろう。当時の僕は未来に対してなんら疑問を抱いていなかった。親友と呼べる仲間がいて、興味を惹かれる女子もいる。しかしそんな幻想は決して長く続かなかった。

ある日、脇見運転の車から仲間を守った僕は代わりに撥《は》ねられてしまう。傷が修復していく僕の姿を仲間たちは呆然と見つめている。事故を起こした運転手を含めて目の前で起こっている現象を理解できなかったのだろう。その日の僕はそんな風に考えていた。

翌日、普段通りに登校した僕は通学路で仲間を見かける。いつものように声をかけると引き攣った笑顔と曖昧な挨拶が返ってきた。それからすぐ「今日は急いでる」と言い残して友人は立ち去ってしまう。学校へ到着してからも様子が変だった。

廊下で擦れ違った仲良し女子二人組は明らかに怯えていた。それは意図したものではなく、おそらく本能的に表された感情だろう。昨日、僕に助けられた少女が声を震わせながら告げる。

「お願い。誰にも言わないから殺さないで」

殺さないで。

その言葉がすべてを物語っていた。助けたことを感謝されたかったわけではない。ただこれまでの関係を継続したかっただけだ。しかしそうはならなかった。これが僕のことをよく知らない誰かなら、おそらく傷付くこともなかっただろう。ほかの誰でもない仲間に拒絶されたから、僕は普通じゃないんだと認めるしかなかった。

「ごめん、違うの」

僕の気持ちを察したのか少女は取り繕うように謝罪する。それが余計に痛々しくて、僕はその場から逃げ出していた。不死身の半妖夢なんて――誰だって願い下げに決まっている。

その事実が今も僕に重く圧しかかっていた。

美月や栗山さんが半妖夢である僕を怖れなかったのは、妖夢を討伐する異界士という立場だったからだろう。眼鏡好きの突っ込み要員である限り、異界士が半妖夢を怖れる理由はなかった。ところが手に負えない一面も合わせ持つと知られた今、これまでのような関係を維持することはできないだろう。

それを名瀬美月の反応を見て痛感させられた。あれだけ高圧的な少女が身体を震わせて怯える――得体の知れない存在に成り下がった僕に居場所なんてない。誰かに愛されたいなんて願わない。ただいつか僕のことを嫌いになってしまうその日まで一緒にいてください。

そして――その時期が訪れただけのことだ。

「逃げないでください！」

小柄な少女が僕を抱き締めた腕に力を込める。僕は苛立ちを隠さずに吼えた。

「栗山さんも見ただろ！」

「見てました」

「だったらわかるだろ！」

「なにがですか！」

「暴走したら感情を制御できなくなる。いつか美月や栗山さんに危害を加えるかもしれない」

僕は背中へ向けて紡ぎたくない言葉を連ねる。

「もう嫌なんだよ。大切な人に見限られるのも……同情されるのも……惨めな気持ちになるのも……中途半端な優しさなんていらない！　こんなに辛い気持ちになるなら最初から期待しないほうが楽なんだよ！」

「……先輩……」

「黙って行かせてくれ……今は一人になりたいんだ」

「嫌です。今ここで手を離したら……もう二度と先輩に会えない……そんな気がするんです」

栗山さんの声に熱が籠もる。それでも僕は逃げ出そうとしていた。

「だから今ここで私と向き合ってください！　私だって優斗のときみたいな失敗は二度としたくありません！　相手の気持ちを確かめもしないで……一人で勝手にわかったつもりになって……手遅れになるのはもう嫌なんです！」

足を止めて僕は小柄な少女を見やる。眼鏡の似合う少女と視線が重なった。

「僕が……怖くないのか？」

「怖いです。今も足が震えています」

その言葉通り栗山さんの身体は小刻みに震えていた。暴走した僕は博臣でさえ干渉結界の張り巡らされた地元でなければ止められない。一介の異界士に怯えるなと求めたところで酷なだけだろう。

「問題があるなら一緒に考えればいいじゃないですか？　だから勝手に逃げないでください。一人で抱え込まないでください。そんなの……不愉快です」

「……栗山さん……」

「秋人」

その場に立ち尽くしていた黒髪の少女が僕の名前を口にする。

「私は怯えたことを否定しない。言い訳もしないけど謝るつもりもないわ。だから秋人もこれまでと変わらず突っ込み上手な変態のままでいなさい」

「……美月……」

まるで天使のように少女は微笑む。

とても素敵な笑顔だったが、しかしそれが逆に、僕を冷静にさせてしまった。

「ちょっと待て……いつから僕は突っ込み上手な変態になったんだ？」

「黙りなさい。ともかくこれまで通り私に接すればいいのよ。もし今日の出来事が原因で遠慮したり卑下するようになったら私は秋人を一生許さないわ」

いつも尊大で本当に歪みがない。だからこそ僕は耳を傾けてしまう。

「確かに私は姿を変えた秋人を見て怖いと思ったわ。だけど秋人を置いて逃げ出さなかった事実も信じてほしい。こんなことで大切な玩具《おもちゃ》を失いたくないいんだもの」

「美月……最後の一文はいらない」

「それに眼鏡をかけておけば襲われない設定なんでしょう？」

「怖ろしく安い設定だな！」

思わず突っ込んでしまう僕だった。くすくすと背後にいる栗山さんが微笑む。

「だって事実でしょう？」

そんな軽口を叩いてくれるから、なんだかもう、溢れる涙を止められなかった。

ずっと探し求めていたのに見つからなかったものが、どうしてここにはこんなにも溢れているのだろうか？　肩を震わせる僕に黒髪の少女は事も無げに告げる。

「そんなこともわからないの？」

「先輩は私が傍にいてほしいときに傍にいてくれましたよね？　だから今度は先輩が傍にいてほしいときに傍にいてあげたいんです」

「秋人は馬鹿だわ」

ああ——本当に僕はなんて馬鹿なんだろう。こんなにも単純なことで救われるのに、いつも肝心なことを先送りにして、向き合うことを避けていたのかもしれない。

「そもそも秋人の考え方は根本的なところで間違っているのよ。人という字は誰かと誰かが支え合っているとか、あるいは一方が一方に寄りかかって楽をしているとか、そんなことを言う人に限って本を読んでないのよね」

「そうなのか？」

「とある作家の受け売りなのだけど、活字だと『人』って左右対称だから、議論そのものが成り立たないのよ。もちろん『だからなに？』って返されたらどうしようもないのだけど、こういうことに気が付く洞察力の優れた人って案外少ないのよね」

「それ今すべき話なのか！」

「私と秋人は対等でいましょうということを伝えたかったのよ」

「したり顔になるほど上手くねえよ！」

「先輩、私とも対等でいてくれますか？」

「もちろん」

「それなら今度からはなんでも話してください。良いことも悪いことも全部。先輩がどう考えた結果なのかわかりませんが、私は秘密を打ち明けてもらえなかったことに傷付きました。だってそれって——信用されていなかったということですよね？」

本当に栗山さんも美月も歪《ゆが》みないな。だから僕も素直に気持ちを吐露する。

「今度からはきちんと話すよ」

「そうしてください」

眼鏡の似合う小柄な少女が満面の笑みを浮かべた。

「というか最近、栗山さん明るくなった？」

「そうですか？」

不思議そうに瞳を瞬く栗山さんだった。まあ、こういうのは自覚し難いからな。博臣はありえないと完全に否定していたが、やはり心を許せるような相方ができたのだろうか？

ニノさんの依存度はともかく、好きな人の存在って、最高の精神安定剤だろうからな。どうも天国から地獄へ突き落とされたような気分だが、だからこそ自暴自棄な質問ができたのかもしれない。

「あのさ、栗山さん」

「なんですか？」

「先週末、一緒に歩いていたの誰？」

「一緒に歩いていた？」

「えーっと、そうだな。カフェに一緒にいた人だよ」

「あー、あれは盆栽の引き取り手です」

「んんん、どういうこと？」

なんだか変な方向に話が進んでいる。

「高齢や入院を機に盆栽を育てられなくなった方から、これから育てたい方への橋渡し役をしていたんです。今回は思いのほか早く見つかって助かりました」

「そうなんだ」

相槌を打ちながら僕は胸を撫で下ろしていた。形式的にはぐらかしただけかもしれないし、意図して内緒にした可能性も否定できないが、ただ僕は真偽不明の一言に安心してしまったのである。

「おーい、そろそろ引き上げるぞ」

美貌の異界士が歩み寄ってくる。ここでようやく栗山さんが僕を解放してくれた。

「それじゃあ、帰ろうか？」

歩き出そうとした途端に意識が遠退いていく。抗《あらが》う術《すべ》を持たない僕は地面に倒れ込む。

「獣人化は身体にかかる負荷が大きいんだろう。その直後にあれだけ動けば無理もくるさ」

身体を起こしてくれたらしい博臣が簡潔に状況を説明した。それが当たり前みたいになっているが、こいつには、初めて出会ったときから世話になっている。本当はもっと感謝しなければならないのだろう。

「ところで兄貴は秋人のことをどう考えてるの？」

黒髪の少女は不躾な質問を投げかけた。僕を背負い上げた美貌の異界士は歩き始める。

「さあな。ただアッキーが切れるのは――いつも誰かのためなんだよ」

そんな奴を嫌いになれるか？

最後の一文は僕の幻聴かもしれない。その前後に意識を失っていたからである。

終章

「お兄ちゃん、そろそろ起きて」

　耳慣れない名称で呼ばれながら肩を揺すられる。それとは別に体験したことのない柔らかな感触が身体に纏わり付いていた。僕は眠気眼《ねむけまなこ》を擦《こす》りながら瞼《まぶた》を開けて視界を確保する。

「うおっ！」

「むにゃむにゃ、秋人お兄ちゃん」

　とても眼鏡の似合う少女が僕の身体に抱き付いていた。視線を上げると長い黒髪にエプロン姿の少女が満面の笑みを浮かべながらこちらを見つめている。

「未来ちゃん、勝手にお兄ちゃんの布団の中へ潜り込んじゃ駄目でしょう？　しかも二度寝しちゃうなんて困った子ね。朝食を作ったから二人とも起きなさい」

「う～、やだ～」

　駄々を捏《こ》ねながら栗山さんは僕に絡み付いた腕に力を込める。どうやらまだ離れたくないという自己主張らしい。しかしこれは一体どういうことだろうか？

「言うことを聞かないと朝食抜きよ」

「え～、美月お姉ちゃんの意地悪」

「未来がお兄ちゃんを独占して迷惑をかけるから悪いんでしょう？　ほらもう、さっさと起きなさい。本当に朝食を抜きにされたら困るでしょう？」

　腰に両手を当てて黒髪の少女は呆れたように溜め息を漏らしていた。とはいえ僕のことを抱き枕扱いしている栗山さんのことを本当に嫌っている様子ではない。僕は上体を起こして朝の食卓を確認する。ハムエッグが乗せられたトーストにサラダ、それから果物の盛り合わせが用意されていた。

「これ全部、美月が作ったのか？」

「当たり前でしょう？　そんなことより二人とも早く顔を洗ってきなさい」

　促された僕と栗山さんは素直に洗面所へ向かう。寝惚けている小柄な少女を後回しにして僕は洗顔を済ませた。先に部屋へ戻ると美月が嬉しそうに問いかけてくる。

「今日はどれをかければいいかしら？」

　視線を追いかけると姿見の横にある小さな棚へ辿り着いた。そこには三十種類以上の眼鏡が所狭しと並べられている。僕は腑に落ちない疑問点を追求しておく。

「美月、眼鏡をかけるほど視力が悪いなんてことはないよな？」

「当たり前でしょう？　これはお兄ちゃんが私のために用意してくれた伊達眼鏡じゃない」

「え？」

「ねえお兄ちゃん、今日はどれがいい？」

驚く僕を横目に黒髪の少女は眼鏡を眺めていた。僕は並べられた眼鏡の中から一つを選択して手に取る。確実に似合う最善手というよりは試してみたい一手だった。

「これ……かな」

「じゃあ、かけて」

まるでキスでも強請《ねだ》るかのように美月は瞳を閉じて顎を少しだけ上げる。思わず僕は生唾を飲み込んでしまう。震える手を抑制しながら眼鏡をかけようとしたときだった。

「あ〜もうっ！　またそうやってお兄ちゃんを誘惑するんだから〜っ！」

甘ったるい声を発しながら栗山さんが距離を詰めてくる。右腕に絡み付いてくるので僕は眼鏡を左手で持ち直した。すると美月がそれを奪い取り素早くかけてしまう。

「お兄ちゃん」

「お兄ちゃん」

眼鏡の似合う二人の少女が朝から僕を取り合い揉めている。こんな夢のような出来事が現実にあるわけないが、なるほど確かに、可愛い妹に愛される兄という立ち位置は悪くないな。

「ねえねえ、お兄ちゃん。美月のほうが似合ってるよね？」

「ねえねえ、お兄ちゃん。未来のほうが似合ってるよね？」

上目遣いで懇願してくる二人の少女。

「どちらか一人に決めるなんて無理だよ」

「お兄ちゃん」

黒髪の少女が妙に艶《なまめ》かしい表情で僕を見やる。

「ぺろぺろしてもいいんだよ？」

「美月っ！」

「あ〜ん、美月お姉ちゃん卑怯だよ」

眼鏡女子による僕の争奪戦はまだまだ終わりを迎えない。それだけで幸福の絶頂だった。

しかしそんな天国に悠久は望めない。一瞬の浮遊感を経て、身体に衝撃が走った。これが物語において禁じ手とされる夢落ちなのだろうか？　そんなことを考えながら僕は上体を起こして顔を上げた。眼前に赤縁眼鏡をかけた栗山さんと眼鏡をかけていない美月の顔がある。

「大丈夫？」

「大丈夫ですか？」

「一部夢じゃない！」

思わず僕は本音を叫んでいた。二人は同調したかのように小首を傾げて頭の上に疑問符を浮かべる。ともかく周囲を手早く確認すると、どうやら僕の部屋ではないらしい。いつぞや訪れたことのある緊急避難用マンションの一室だった。どうしてこんなところにいるのかわからないが、そんなことより事の顚末《てんまつ》を優先すべきだろう。

「ここが死後の世界じゃないなら状況を説明してくれないか？」

「目覚めない秋人をここまで運んであげただけじゃない？　栗山さんの部屋か私の部屋どちらへ連れていくかで揉めたことは内緒よ」

「内緒なら後半は口に出すなよ。というか僕を取り合うなんて夢みたいな展開だな」

「もちろん『秋人は私の部屋に連れていくわ』とか『先輩は私の部屋に連れていきます』というようなポジティブな争奪戦ではなくて、確か『栗山さんの部屋に連れて行きなさいよ』とか『嫌です。美月先輩の部屋に持って帰ってください』とか『グミチョコ一年分あげるから引き取りなさい』なんて会話が繰り広げられていたはずよ」

「泣きそうになるからやめろ！」

散々厄介者扱いされた挙句、名瀬所有の緊急避難用マンションの一室で目覚めるとか最悪じゃねえか！　どれだけ嫌われてるんだよ僕。しかしまあ、美月特有の軽口なんだろうけどさ。

本当に嫌いなら僕が目を覚ますまで部屋に残ったりしないだろうからな。

「ちなみに秋人が目覚めるまで部屋に残っていた理由は私物を盗まれないためよ」

「最低だ！　僕のことをまるで信用してないじゃねえか！」

「先輩、お腹は空いていませんか？」

不意に小柄な少女が呼びかけてくる。僕は声に釣られて顔を上げた。

「アッキー、ハムエッグトーストとサラダに珈琲で構わないか？」

「なんで博臣が朝の台所に立ってるんだよ！　普通そこは美月か栗山さんがエプロン姿で登場

するところだろうが！　男に作られたというだけでテンション下がるわ！」

　しかもエプロン姿が様になっているところが腹立たしい。なんというか盛り付けたサラダへ爽やかな笑顔と一緒にオリーブオイルを垂らすだけで世の女性を虜《とりこ》にしそうな雰囲気がある。

「秋人」

「先輩」

　声を荒げる僕を二人の女子が優しく制した。それだけで勢いを削《そ》がれてしまうのだから、僕の突っ込み力なんて所詮知れてるよな。やっぱり美月や栗山さんも博臣の手料理を食べたいと思うのだろうか？

「とはいえアッキーがどうしてもと言うんなら、美月と未来ちゃんに作ってもらう選択肢もあるぞ。俺としても妹の手料理を食べるという夢が叶うからな」

「おお、なんか今日の博臣は話がわかるじゃないか！」

「秋人！」

「先輩！」

　さっきよりも強く制する二人だった。そこまで僕に朝食を作りたくないのだろうか？　もし笑顔で肯定されたら泣き喚くことになるかもしれないが、ここで事態を先送りにしても仕方がないので覚悟を決める。

「駄目なのか？」

「二人きりならともかく兄貴や栗山さんの前で裸エプロンは無理だわ」

「ちょっと待て！　どうして裸エプロンありきなんだよ！」

「はっきりと秋人の顔に書いてあるじゃない？　裸エプロン以外の格好で台所に立つことは禁《きん》忌《き》なんでしょう？」

「勝手に僕の価値を落とすな！　そもそも僕の趣味はそっち方面じゃないだろ！　むしろ裸眼《はだかめ》鏡《がね》だよ！　たとえ全裸になっても眼鏡だけは外さないでくれって感じだろ！」

「不愉快です」

本気で不愉快そうな視線を向けてくる栗山さんだった。確かに一般的な女子高生は朝から全裸なんて単語は聞きたくないだろう。しかしこれは半ば誘導尋問みたいなもので、本来の趣味趣向を譲らなかった僕自身に拍手を送りたい。

「とにかく裸エプロンは一度忘れよう。朝食も博臣が作ろうとしてたメニューを普通に引き継いでくれればいいからさ。それでも作りたくないなら諦めるよ」

「そこまで言われたら断れないわね。秋人のためなら腕の一本くらい失くしても構わないわ」

「料理ですよね！」

思わず丁寧語で突っ込む僕がいた。黒髪の少女は事も無げに告げる。

「第一に卵の殻を割る握力もないのよね」

「林檎を握り潰す握力どこいった！」

「先輩、実は魚の血を見ると貧血を起こしそうになるんです」

「ハムエッグに魚を捌《さば》く工程はねえよ！」

というか妖夢の返り血は大丈夫なのに魚の血が駄目ってどういうことだよ！

「ところでサラダは『美月の気紛《きまぐ》れサラダ』と『未来の気紛れサラダ』の二種類のうちどちらがいいかしら？」

「そこは拘《こだわ》るんだな！」

「ちなみに『美月の気紛れサラダ』は握り潰した林檎と蜜柑をふんだんに取り入れているわ」

「だからその握力で卵の殻を割れよ！」

「そもそも『気紛れサラダ』という名称は適当に作ってるみたいで印象が悪いわよね。もっとこう『今日の本気サラダ』とか『明日から本気出すサラダ』みたいに前向きな名前のほうが素敵じゃないかしら？」

「まあ『明日から本気出すサラダ』は今日出したら駄目だろって感じだけどな」

ちゃんと本気を出してからメニューにしましょう。

「あの……先輩は料理ができるんですか？」

ふと別方向な質問を投げかけられた。

ただ普通に手料理を振る舞ってもらうという予定から、どんどん遠ざかっているような気もするが、眼鏡の似合う女子を無碍に扱うことは絶対に許されない。

「まあ、一人暮らし用の簡単なやつならね」

「今度、料理の仕方を教えてもらってもいいですか？」

「もちろん大歓迎だよ。ただ、さっきまで繰り広げられていた会話はなんだったの？」

「それは俺が朝食を作り終えるまでの暇潰しだ。おかげで退屈しなかっただろ？」

言いながら博臣は料理の盛られた食器を卓の上に並べていく。焼き加減が絶妙なハムエッグトーストに彩りの考えられたサラダ。そこへ淹《い》れ立ての珈琲が添えられると喫茶店のモーニングセットと比べても遜色がない。

「美月と未来ちゃんはカフェオレのほうがいいか？」

「そうしてもらえると助かるわ」

「はい。ありがとうございます」

爽やかな笑顔を向ける上級生に小柄な少女は頬を綻ばせる。このままでは博臣の好感度だけが上がってしまう。そう考えた僕は関心を奪う一手を放つことにした。

「栗山さん、これを使うといいよ」

「なんですかそれ？」

「湯気で曇らない特殊加工の施された眼鏡なんだよ」

僕は解説しながら同型の赤縁眼鏡を後輩へ手渡す。それから別の眼鏡を取り出して美月と博臣にも差し出しておく。すぐさま黒髪の少女が疑問を口にする。

「いや、あの、秋人？　栗山さんへの対応は間違っていないのかもしれないけど、眼鏡をかけていない私に曇らない眼鏡を渡してどうするつもりなの？」

「なにかあってからじゃ遅いだろ？」

「曇らない眼鏡を持ってないと困る事態がわからない。というよりそんな真剣な顔で見つめるのはやめてくれないかしら？　冗談なのか本気なのか区別が付かなくなるわ」

「美月、ここはアッキーの好意を素直に受け取ってやれよ」

「そうしてくれるとありがたい。僕の二人に対する感謝は眼鏡を渡すくらいでしか伝えられないからな。さあさあ、二人とも遠慮せずにかけてくれよ」

「でも眼鏡比率が上がって得するのは秋人だけでしょう？」

「僕が得するだって？　本当だ！　むしろ僕しか得していない」

これは困ったぞ。こんな事態になることを想定もしていなかった。

「眼鏡を渡すことで感謝を伝えられないなんて一体どうすればバインダーッ！」

「ぷっ……くくっ！」

栗山さんが口を押さえて吹き出すのを堪えていた。

「こんな捨て身の親父ギャグで笑ってはいけないわ」

美月はよくわからない理由で後輩女子を叱責《しっせき》する。台所に戻っていた博臣が冷蔵庫を開けて箱を取り出す。食卓の上に置かれた箱には苺のショートケーキが四つ入っている。この千載一《せんざいいち》遇《ぐう》の機会を逃すことはできないだろう。

「実は苺の消毒液を買ってあるんだけど食べるか？」

「ぷぷっ……くくっ……くくっ」

「ショートケーキと消毒液なんて全然似てないじゃない！」

「まあまあ、深夜に観た迷走戦隊マヨウンジャーの影響だろ？」

苛立つ美月を実兄が宥める。

「そう言えば親父ギャグを連発するキャラクターが登場してたわね」

「んんん、僕が寝ているときに放送してたのか？」

「秋人をここへ運んだあと三人で観てたのよ。おかげで睡眠不足だわ」

「どんだけマヨウンジャー好きなんだよ！　録画しておけばいいだろ！」

「嫌よ。そんなことをしたら秋人も観れるじゃない」

「最低だ！」

とまあ、いつものような他愛ない会話で盛り上がるのだった。しかし平日ということもあり長くは続かない。気《け》だるそうに伸びをしながら美月が本日の流れを説明する。

「裏方仕事はこちらで済ませておくから、栗山さんと秋人は普通に登校して頂戴」

どうやら美月と博臣は昨夜の出来事に関する報告で異界士協会へ向かうらしい。

「あの……シャワーを借りてもいいですか？」

おずおずと小柄な少女が申し出る。大胆な発言に聞こえるかもしれないが、前回ここを訪れたときも、順番にシャワーを浴びたんだよな。そういうところは体育会系の乗りというのか、男女の関係を変に意識することはないんだよね。

「もちろんよ。栗山さん、マヨウンジャー観たあとすぐ寝てしまったものね」

「風呂より優先されるなんて……迷走戦隊マヨウンジャーすごいな」

そんなことを考えている間に栗山さんは浴室へ消えていく。そこでふと名案が浮かんだ。滅多にない機会なので今日を逃す手はないだろう。

「あのさ美月、悪いんだけど栗山さんの眼鏡をこっそり拝借してきてくれないか？　僕が脱衣所へ入ると変態扱いされるかもしれないからさ」

「秋人、眼鏡をこっそり拝借してほしいという依頼だけで充分に変態よ」

髪を梳《と》かしながら美月は睥睨《へいげい》した視線を向けてくる。

「おいおい、見損なうなよ。僕は本人の許可もなく眼鏡をぺろぺろしたりしない」

「いや……あの……その台詞を強気に発言できる神経がまったく理解できないのだけど？」

「美月が僕のことを無許可で眼鏡を舐め回すような卑劣漢扱いするからだろ」

「えっ……ここで逆切れ？　好感度、大丈夫？」

「それだけは美月に心配されたくない！」

すると黒髪の少女は怪訝そうな表情を浮かべる。

「でも変態な発言を執拗《しつよう》に繰り返した挙句、可憐な女子を恫喝《どうかつ》するなんて典型的な悪者よ」

「だから僕は栗山さんの許可なく眼鏡を舐めないと宣言してるだろ！」

「いえ……あの……ごめんなさい。ともかく眼鏡を舐めるとか舐めないとかいう発想そのものがわからないのよね」

「あ、いや、僕のほうこそ声を荒げて悪かったよ」

滅多に謝罪しないから素直に非を認められると萎縮してしまう。

「ところで栗山さんの眼鏡が必要な理由を教えてもらっていいかしら？」

「ちょっと栗山さんを驚かせたくてさ」

「まさか眼鏡を隠して後輩を困らせるつもりじゃないでしょうね？」

「そんな子供みたいなことするわけないだろ。確か聖書にも『汝、隣人の眼鏡を欲することなかれ』と書いてあるからな。僕は単純に栗山さんの驚く顔が見たいだけだよ」

「いつから聖書がそこまで限定的になったのか知らないけど、とりあえず栗山さんの眼鏡を持ってくればいいのね？」

「まあ、そういうことになるな」

「それじゃあ、行ってくるわ」

そんな言葉を残して美月は脱衣所へ向かう。僕の心根は微塵も伝わっていないだろうが、それでも協力してくれるなら問題ない。協会の控え室に残してきた私物も運んでもらっているようなので、僕はその中から眼鏡専用の洗浄剤と白い手袋を取り出した。しばらくすると赤縁眼鏡を手にした黒髪の少女が戻ってくる。他人の所有物を無断で拝借してきたことに幾分の罪悪感を覚えているらしい。

「なんか悪事に加担させたみたいで悪いな」

言いながら僕は差し出された栗山さんの赤縁眼鏡を受け取る。美月は対面に腰を下ろしてこちらを覗き込む。見慣れない私服姿の所為か普段より仕種が扇情的《せんじょうてき》に見えてしまう。

「それでなにをするつもりなの？」

「眼鏡の洗浄だよ。僕の手を見れば一目瞭然だろ？」

「確かに鑑定団みたいな白手袋をしているわね」

ほかにも霧吹き型の眼鏡洗浄剤や水を張った洗面器など準備は万端である。僕は赤縁眼鏡の状態を確認しながら専用の洗浄剤を吹きかけていく。

「勝手に眼鏡を洗われて栗山さん嫌な気分にならないかしら？」

「そうならないように手袋をしているわけだからな」

「常識があるのかないのか、よくわからない気配りね」

「風呂で身も心も綺麗に清めたのに上がれば皮脂汚れの酷い眼鏡をかけなければならない。多くの眼鏡愛好家《メガネスト》が長年この状況に苦しめられてきたんだよ」

「入浴前に拭けばいいんじゃないの？」

「それは頑固な皮脂《ひしよご》汚れと対峙したことのない素人の意見だ。完全に除去するとなれば眼鏡屋に置いてある超音波洗浄機くらいしかない」

「その説明だと秋人のしようとしていることも無駄な努力になるんじゃないかしら？」

「しかしそうはならないんだな。ある日、とある会社が眼鏡洗浄革命を起こしたんだよ」

僕は洗面器に張られた水で眼鏡の泡を洗い落とす。

「へっへっへっ、あとは清潔な布で水を拭き取れば完璧だ」

「つまりその洗浄剤が革命ということ？」

「どこまで眼鏡愛好家《メガネスト》に浸透してるのか知らないけど効果は抜群だぜ」

丁寧に水分を拭き取り僕は赤縁眼鏡を軽く掲げる。

「完璧だ。美月、白手袋を装着して元の場所まで頼む」

「乗りかかった船だから仕方ないわね」

思いのほか素直に美月は依頼を引き受けてくれる。

ほどなくして浴室から栗山さんの声が届く。

「わーお！」

それは普段発せられることのない珍妙な響きだった。しばらくすると湯上りの後輩女子が姿を見せる。その鼻先には綺麗に磨き上げられた赤縁眼鏡がかけられていた。

「先輩、私の眼鏡を新品と擦《す》り替えましたか？」

「なるほど……まずはそこを疑われるんだな」

「日頃の行いを悔い改めるべきね」

一理あるので反論できない。ともあれ僕は真実を伝える。

「綺麗に洗浄しただけだよ。風呂上りに皮脂で汚れた眼鏡をかけるのは嫌だろ？」

「それはそうですけど……こんなに綺麗になるものなんですか？」

栗山さんは洗練された眼鏡の輝きに驚きを隠せない様子だった。ここぞとばかりに僕は眼鏡専用洗浄剤を某猫型ロボットよろしく派手に掲げる。

「眼鏡専用洗浄剤ーっ！」

「…………」

「…………」

完全に空気が沈黙した。黒髪の少女が真剣な眼差しを向けてくる。

「秋人」

「なんでしょうか？」

ついつい丁寧な語調になってしまう。

「似てたわよ」

「先輩、大丈夫です」

「明らかな嘘と変な慰めなんていらない！」

美月は完全に顔を背けているし、栗山さんも挙動不審極まりない。

「それなら本音を言わせてもらおうかしら？」

「いや、それはそれで怖ろしいから遠慮して頂ければ幸いです」

「未来ちゃんとアッキーも出れる支度《したく》をしてくれないか？」

「まだいたんだ！」

美月と僕の声が綺麗に重なる。別室から顔を出した博臣は怪訝そうにしていた。

当初の予定通り二人は一度名瀬邸に戻ってから異界士協会へ向かうらしい。なんにせよ本日も学校を休むという事実に大きな変化はないみたいだ。栗山さんはこれから登校するらしく、家に戻り用意を済ませてくるという。

「それじゃあ僕も一度帰宅してから登校するよ」

しっかりと休息も取れたわけだし、学生である以上、本分の学業に勤しむべきだろう。


そしてここからが今回の後日談となる。

登校途中の僕は前から歩いてくる峰岸舞耶の姿を捉えて目を丸くした。その様子が向こうにも伝わったらしく、白銀髪の少女は照れ臭そうに頭を掻く。どちらともなく会話できる間合いまで距離を詰めた。

「言いたいことは理解しているつもりだ。私に女子高生の格好は似合わないからな。自覚しているのだが規則に逆らうわけにもいかないだろう？」

　峰岸舞耶はスカートの裾を摘んで軽く捲り上げる。中に黒色のスパッツを穿いているので下着は見えないのだが、ここまであっけらかんとした行動を取られると注意せざるを得ない。

「とりあえず公共の場でスカートを捲るな」

「命の恩人に頼まれては断れないな。では捲らないで済むよう最初から脱いでおこう」

「より最悪の結果じゃねえか！　寝る前に甘い物を食べると太るから寝ずに食べ続けるみたいな感じだよ！」

「ふむ」

　白銀髪の少女は制服を正しながら不思議そうな表情を浮かべる。例え話の意味がわからなかったのかもしれないし、なにか別の理由で笑えないのかもしれなかった。

「私が女子高生の格好をしていることに疑問は持たないのか？」

「年齢的に女子高生なんだろう？」

「それはそうなのだが、私は事件の関係者だろう？　本来ならこんな公共の場を平然と歩いていられるような身分ではない」

「ああ、その件に関しては名瀬から情報が下りてきてたな。きっかけとなる同級生殺害については当時の年齢から刑法上の責任を問われないんだろ？　それがいいかどうかは別として、これを機会に更生してくれよな」

「期待に添えるよう尽力したい」

しっかりと肯定の意を示してから峰岸舞耶は疑問符を投げかけてくる。

「少し時間をもらってもいいかな？」

「もちろん」

歩きながら僕と白銀髪の少女は情報の伝達を行う。

「さっき秋人くんが指摘した通り当時の年齢では刑法上の罪に問われない。ただ警察は藤真弥勒の犯行だと断定しているみたいなんだ。初弾で正確に被害者の額を貫ける素人はいない。ゆえに私を守るために藤真弥勒が三人の女子生徒を殺害した。事実は全然違っていても論法的にはこんな感じらしい」

「警察は異能力まで考慮しないからな」

「説明を付け加えるなら異界士の闘争にも警察は関与しない。だから私は異界士協会の裁定に従い名瀬の管理下で更生を目指すことになった」

「一般人に手を出さなかったのが功を奏した感じだな」

「そうなのかもしれない」

建物の爆破や銃刀法違反も協会が補填や隠蔽をしたんだろうか？

そういうことの専門家とか普通にいそうだからな。

「ところで高校へ通うのも更生の一環なのか？」

「そうだな。普通の暮らしに慣れることも更生には必要不可欠らしい」

「二年なら僕や美月がいるし、放課後なら文芸部もある。高校生活に慣れるまで入部してみるのも手だぞ？　見知った顔があるかないかじゃ全然違うだろ？」

「うむ。元よりそのつもりだ」

「ふーん。でもどうして？」

「名瀬泉と交わした条件に入部が含まれている」

「泉さんがなんで？」

僕は当然の疑問を口にしていた。なにせその名前が絡むとろくなことがないからな。

「それは私にもわからない。ただ拒否する理由も権利もないからな」

言いながら峰岸舞耶は胸元から取り出したロリポップを口へ含む。鍛え抜かれた体躯と不良っぽい風貌がそうさせるのか、飴玉を支える白色の細長い棒が煙草にしか見えない。

「まあ、泉さんの意図はともかく峰岸さんが苦痛に感じていないなら僕は大歓迎だよ」

「そういう他人行儀な呼ばれ方は苦手だ。これからは舞耶と呼んでほしい」

歪みのない直接的な物言いだった。こう宣言されると僕の回答は一択しか存在しない。

「わかった。これからは舞耶と呼ばせてもらうよ」

「さすがは秋人くんだな。もし拒絶されていたら私は泣いていたかもしれない」

「もっと『拒否されたら殺していたかもしれない』みたいな物騒な台詞を言えよ！　泣き落と

しとか予想外過ぎて対応に困るだろうが！」

「ぐすん……ごめんなさい」

「酷い嘘泣きだ！」

涙の一つも零れていやしない。だからこそ僕は話を切り替えることにした。

「物騒という単語から連想したんだけどさ」

「ああ、言いたいことは理解した」

白銀髪の少女は愛おしそうな表情を浮かべて制服の一部を撫でた。その仕種が結果を物語っているような気もするが、ここで曖昧にしてしまうのは優しさではない。だから僕は濁《にご》せば済む言葉を馬鹿正直に引き継いだ。

「それじゃあ、聞かせてもらおう。まだ物騒な代物を所持しているのか？」

「これはもう私の重さだからな。失くしたら歩くこともままならない」

「いちいち嘘を挟むなよ。というか泉さんは知っているのか？」

「もちろん。むしろ積極的に賛成してくれていた」

なにか事が起こったときに利用する気満々だな。

しかしまあ、それくらいで済めば楽なほうかもしれない。

ともかく僕は避けて通れない憂鬱な話題に触れておく。

「藤真弥勒はどうなるんだろう？」

「わからない。これから裁判が行われて、その結果は随分と先の話になる」

言い終えて舞耶は目を伏せた。だから僕は正直な気持ちを告げる。

「いきなり重い話をして悪かったな。ただ僕自身も当事者みたいなものだから、あいつがどうなるのか、きちんと知っておくべきだと思うんだよ」

「うん」

一度相槌を打ってから白銀髪の少女は視線を上げた。

「秋人くんには――いろいろと救われた。だから今度は私が秋人くんの力になりたい」

「気持ちだけで充分だよ」

「いや、そうはいかない。私を理解してくれたのは弥勒さんと秋人くんだけだからな」

「買い被り過ぎだ。僕は自分自身の置かれた立場から藤真弥勒を肯定したに過ぎないからな。普通に生まれて普通に暮らしていたら立派な傍観者になっていた自信がある」

「仮定の話をされても困るな。ところで秋人くんは好きな人がいるのか？」

「へ？」

随分と間抜けな声を出してしまった。

「だから秋人くんは好きな人がいるのか？」

「んんん？　なんでそんな話になるんだよ？」

「名瀬泉に対する執着か愛情か憎悪かはわからないが、弥勒さんは私の身体に指一本触れようとしなかったからな。想い人がいるから身持ちが堅かったのだろう。私は欲望の捌《は》け口にされるだけでも構わなかったんだけどな」

「そこで欲望の捌け口にするような奴なら簡単に忘れられたのにな」

「ふふ、秋人くんは童貞のくせに鋭いな」

「余計な単語を含めるんじゃねえよ！」

「なぜ褒めているのに怒られるのだ？」

舞耶は不思議そうに瞳を瞬かせる。こいつ……素で処女と童貞を等価だと考えているのか？

「しかし美月の言っていた通りだな。秋人くんの突っ込み力は際限《さいげん》を知らない」

「舞耶、お前もか！　信者は栗山さんだけで充分なんだよ！」

というか美月の奴、どんだけ影響力あるんだよ。

「本当によく突っ込むな」

「いいから話を先に進めろ！」

「わかった」

あっさりと白銀髪の少女は僕の意見を採用してくれる。どうやらこの辺りは美月の悪影響を受けていないらしい。

「確かに手を出されていたら今のような信仰心に近い感情は抱かなかったかもしれないな。もっとも実際に経験してみないとわからないことだ」

「ともかく普通の生活を取り戻さないとな」

「うむ。更生したところで過去の悪事を消し去れるわけじゃないが、それでも秋人くんの想いを無駄にしないためにも生まれ変わりたい」

「今度は舞耶が困っている人に手を差し伸べられる存在になればいいさ」

「私になれるだろうか？」

ぐぐっと真剣な瞳をした顔が眼前に迫る。僕の言うべき台詞は一つしかないだろう。

「なれるよ。僕が保障する」

「それは心強いな」

ここで初めて峰岸舞耶は穏やかな表情を浮かべた。

「先輩っ！」

なんとなく一段落着きそうなところで、誰かが遠くから駆け寄ってくる気配を感じた。小柄な少女は息を切らしながら僕と舞耶の合間に身体を捩《ね》じ込んでくる。剣呑《けんのん》な表情は酸素が足りないからだけではないだろう。

「不愉快です」

「いやいや、なにもしてないだろ？」

「距離が近いです。離れてください」

そう告げて後輩女子は舞耶を振り仰ぐ。僕が絡まれたと心配してくれているのだろうか？

「先輩になにか用ですか？」

「そんなに怖い顔をしなくてもいいだろう？　転校してくることになったので秋人くんに挨拶をしていただけだ。この制服姿を見れば嘘でないことは一目瞭然だろう？」

「どうしてここを選んだんですか？」

「名瀬泉の手引きだ。もっと露骨な表現をするなら監視付きの自由というわけさ」

「…………」

栗山さんは僕に真偽を問うような視線を向けてくる。

「全面的に信じて構わないんじゃないか？　特に泉さんが一枚噛んでいるという情報は信憑性も現実味もあるからな。あの人は頑丈な檻の中で珍獣を飼うのが趣味なんだよ」

「ともかく私は秋人くんのために更生したいと考えている。都合のいいことを言っているように聞こえるかもしれないが、それ以外の方法で恩に報いる方法を私は知らないんだ」

しばしの逡巡。とはいえ小柄な少女の回答は最初から決まっていただろう。

「わかりました。その言葉を信じます」

「そうか……それじゃあ私はもう行くとしよう」

立ち去ろうとする舞耶の背中に僕は声をかけた。

「目的地は同じなんだから一緒に行けばいいだろ？」

「午前十時に職員室へ出向くことになっている。そんなわけでこれから遅めの朝食を済ませる

予定なんだ。だから私のことは気にせず学《まな》び舎《や》へ向かってほしい」

白銀髪の少女と別れて僕と栗山さんは朝の通学路を歩いていく。

「なんか舞耶のことが他人事に思えなくてさ」

「それは……痛いくらいわかります。私も唯さんや優斗に出会っていなければ、今どうなっていたかなんてわかりません」

小柄な少女は言葉少なに語る。僕は鷹揚《おうよう》に首肯して語を引き継いだ。

「美月や博臣に感謝しているなんて簡単に口にしているけど、それでは全然足らないくらい僕の認識は甘かったのかもしれない。本当は手持ちの眼鏡を全部叩き割られても笑顔で許せるくらいに感謝しなければいけなかったんだよな」

「……先輩……」

「今回の事件でそれがよくわかった」

しんみりとした雰囲気の中で僕は淡々と切り出した。

「栗山さん」

「なんですか？」

「どうしても栗山さんに伝えたいことがあるんだ」

「え？」

疑問符を奏でる栗山さんの声が跳ねた。僕は予防線を張りながら言葉を連ねる。

「僕が眼鏡に並々ならない感情を抱いていることは知っているだろ？　でもそれは決して誰でもいいというわけじゃないんだ。正直に白状すれば僕は――」

「はひ」

小柄な少女は頬を朱に染める。おそらく緊迫した場面で噛んだことを恥じているのだろう。

「栗山さん、その赤縁眼鏡を隅々まで舐め――」

「不愉快です」

じっとした瞳で栗山さんは僕の言葉を制した。

最後まで聞いていないのにおかしな話である。

「どうか最後まで聞いてほしい。その赤縁眼鏡を隅々まで舐め回し――」

「不愉快です！　不愉快です！　不愉快です！」

「どうして話を聞いてくれないんだ！」

「あーっ！　あーっ！　あーっ！　聞きたくありません！」

眼鏡の似合う後輩女子は大声で言葉を掻き消しながら両手で両耳を塞ぎながら抵抗する。

「僕はその赤縁眼鏡を隅々まで舐め回したいくらい――」

「ちょっと署まで同行してもらえるかな？」

「いや、ちょっと待ってください！　僕は栗山さんの眼鏡を舐めたいだけなんですよ！」

「とりあえず続きは署でいいかな？」

その後、屈強な警察官二人に連行されたことは言うまでもない。

某月某日某所にて通学中の女子生徒に「眼鏡を隅々まで舐めさせろ」と迫る不審者が現れるという事件が発生しました。

あとがき

例えば「本当に眼鏡が好きなんですか？」というような、本来なら滅多にかけられることのない質問を数多く頂き、というか一生分の「本当に眼鏡が好きなんですか？」を、ほんの数ヶ月で聞かされたという可能性も否定できません。

しかし皆様、ちょっと落ち着いてください。

もし作者の性癖を登場人物に投影させたりなんかしたら、世に溢れるライトノベルは、ツンデレ萌えとか妹萌えとか幼女萌えばかりになりますよね？　そんな俺の僕の私の性癖暴露大会みたいなことが許されるわけがないんです。

手近にあるライトノベルを読んでください。

そんなおかしなことにはなっていませんよね？

あ……あれ……大体合ってる？　この流れはよくありません。

とりあえず話題を変えましょう。

本作品はかなり楽しく書かせて頂きました。

そのため初稿提出時に「全体の四分の一が妄想戦隊マヨウンジャー推しなのは……さすがになんとかなりませんか？」という鋭い指摘を頂いたのも素敵な想い出です。

とはいえ辛辣な美月の顔に猫髭を描いたり、風呂上がりの博臣に全裸でピアノを弾かせたり、未来が皆に打ち解けて少し明るくなったり、秋人は相変わらず眼鏡について語り倒したり、いろいろと好き勝手に書かせて頂きました。あと落ちが没にならなくて胸を撫で下ろしました。

ところでＣＭライブラリが更新されていましたね。

ちなみに『境界の彼方』ＣＭのタイトルは「メガネ編」でした。

全力で眼鏡推しという気迫が伝わってきますよね。

眼鏡が与党だぞーという意気込みを感じますよね。

なんか打ち合わせとか裸眼で参加して申し訳ありませんでした。

圧倒的眼鏡率の中に裸眼で飛び込むことは、戦場に丸腰で挑むような暴挙だったのです。

さてさて、ここから謝辞になります。

『氷菓』放送時のメール末尾が「私、気になります」という仕事熱心な担当さんには、第二巻においても多大な助言を頂きましたし、鴨居さんには毎回想像以上に可愛い＆格好いいイラストを頂いております。舞耶のラフを拝見したとき、にやにやしてしまいました。やっぱり銃で戦う女の子は素敵滅法です。

本作品に関わってくださったすべての方々、そしてこの意味不明なあとがきを最後まで読んでくれた皆様へ最大級の感謝を捧げて筆を置かせて頂きます。

真心のすべてをあなたへ――鳥居なごむでした。

KAエスマ文庫
境界の彼方2
平成25年04月06日　初版発行
平成25年09月24日　第2版発行

著　者 – 鳥居なごむ

発行者 – 八田英明

発行所 – 株式会社京都アニメーション
〒611-0002　京都府宇治市木幡大瀬戸32番地
TEL:0774-33-1130
http://www.kyotoanimation.co.jp/

装　丁 – 株式会社京都アニメーション文芸室

印刷所 – 和多田印刷株式会社

ISBN　978-4-907064-04-4